贈与をめぐる冒険

新しい社会をつくるには

岩野卓司
Iwano Takuji

図書出版
ヘウレーカ

プロローグ

オンラインと格差

コロナ禍では大幅な行動制限が科された。

ぼくの働いている大学でも、オンライン授業となり、一年間まったく学生と対面で顔を合わさない年もあった。ほかの大学や高校も似たような状況だったと思う。学校も会社もテレワークが推進され、仕事の仕方や教育の方法を見直す契機となった。コロナ後の社会はオンライン化を加速させていくだろうし、オンラインによる利便性と効率化は多くのメリットを社会にもたらすだろう。しかし、まったく対面授業がおこなわれなかったときに孤立して精神的に不安定になる学生が多くいた事実から考えても、オンラインによるコミュニケーションは対面のコミュニケーションと組み合わせない限り、今の社会では十分にその威力を発揮できないと思う。オンラインを通して人間の新たなつながりや新しいコミュニティが多数生み出されたのはまぎれもないメリットであるが、このつながりばかりが重視されてしまうと社会における人間関係の希薄化と個々人の孤立を助長してしまう危険はないだろうか。

今の時代を特徴づけているものに、経済的な格差がある。コロナ禍のなかで医療従事者、救急隊、保健所の人たちがいかに苦労して働いているかが明るみになったが、一部の医者を除けば、こういった人たちの賃金が労働のわりに高くないこともわかってきた。介護施設や保育施設で働く人たち、警察官、消防士といったエッセンシャル・ワーカーの給料は、その労力にもかかわらず、大会社のホワイトカラーの人の給料と比べて意外なほど低いのだ。ここには肉体労働を一段低くみる価値観があり、悲しいかな世界的にこの価値観は共有されている。今後、問い直されていかなければならない価値観だとぼくは思う。

また、こういった不平等のみならず、ある経済学者が言っていたことだが、今後貧富の差は世界的な規模で広がっていくだろう。日本でも、バブル経済の崩壊と長引く不況のあと、規制の最小化と自由競争を重視する新自由主義の政策が取られることによって、派遣業種が拡大されて雇用の格差があたりまえのものになっていたし、過酷なまでの成果主義と競争の論理が肯定され、社会から落伍する人たちを多数生み出してきた。心を病む人、自殺する人、さらには無差別テロなどで社会に復讐する人が現れ、社会不安は増大している。資本主義の加速は、格差を広げるという結果を招いているのだ。

ぼくらはこういう社会のあり方を見直す時点にきているのではないだろうか。

混沌とした時代と揺らぐ価値観

今の時代は混沌としている。

というのも、これまでの価値観が力を失いつつあるからだ。

中国の武漢で発生した新型コロナウイルスはまたたくまに世界中に広がり、多くの人命を奪うとともに、世界の経済や社会を混乱に陥らせた。先進国の誇る高度に進んだ医療体制や防疫体制も欠陥を露呈し、その脆弱さを内外にさらけ出してしまった。

新型コロナウイルスは長期にわたって世界的な規模で蔓延したが、そこまではいかなくてもSARSやMERSの恐ろしい流行や、季節性インフルエンザやノロの毎年の流行など、ウイルスによる被害は繰り返されている。しかし、こういったウイルスはもとより、これまで流行してきた天然痘や結核などの感染症も、ワクチンや治療薬の開発により人類は克服してきた。新型コロナウイルスについても、科学の力によって同じように打ち勝っていくだろう。ただ、今回のウイルスの問題は、単に医療のうえでの問題だけではなく、人間と自然の関係を広く考え直していく必要をぼくらに突きつけているのではないだろうか。

時代の混沌は、人間社会にも見て取れる。大方の人が予想していなかったことだが、ロシアがウクライナに侵攻して戦争が始まり、多くの犠牲者が生まれている。しかも、ひとつ間違えれば核兵器の使用にまでエスカレートする危険もある。EU諸国や先進国G7がロシアへの経済制裁をはじめたので、戦争の影響は世界全体に及び、原油不足や小麦不足から物価高が世界を襲っている。

ただ、ロシアとウクライナの戦争以前から、局地的な紛争は世界中で繰り広げられている。ロシアによるチェチェンやジョージアへの出兵もそのひとつに数えられるだろう。アメリカやイギリスが仕掛けたイラク戦争もあった。9・11のアメリカ同時多発テロに象徴されるように、この数十年にわたって宗教過激派によるテロは繰り返しおこなわれてきた。中東でのイスラエルとパレスティナの争いもいまだ終わりが見えない。戦争、紛争、テロの原因となっている、ナショナリズム、宗教的対立、資本主義の利権、人種差別、貧困などの問題は依然として解決されていない。このままでは世界はいったいどうなるのか、世代を問わずそのような不安を感じながら生きている人は決して少なくないと思う。

今回の戦争を契機として、そろそろ本気で国や社会のあり方、人と人の関わり方も抜本的に考え直すべきときに来ているのではないだろうか。

贈与の可能性

人と人との関係、人と自然との関係をもう一度見直すために、本書では「贈与」というテーマを考えてみたい。

それでは、どうして贈与なのだろうか。

ぼくらがふつうに抱く身近な贈与のイメージは、誕生日やクリスマスのプレゼントだろう。あるいは、募金などの寄付かもしれない。あるいはまた、お中元やお歳暮のような慣習かもしれない。そういった贈与がどうして今の時代に重要なのだろうか。

それは贈与が経済の原点にあるからである。未開社会や先史社会の研究が明らかにしていったように、ぼくらが置かれている貨幣経済以前には贈与の経済が存在していた。これは、何かを与えてお返しを受け取ることで交換が成立する経済だ。今でも自給自足の村落では部分的におこなわれているものである。しかし、こんな経済システムでは時間もかかるし効率も悪いので、貨幣との交換という仕組みへと置き換わっていったのだ。

今、ぼくらが生きている資本主義社会では、経済的な利益が優先されている。企業は利益を上げること、国は経済成長することが目標となっている。そして、そのベースとなっているのが、市場におけるモノと貨幣の交換であり、この交換によって利益を得ることである。

しかし、この資本主義が行き過ぎると、経済的な格差は広がっていくとともに、効率の追求によって人間関係は希薄なものとなっていく。自然に対しても、森林破壊や資源の乱獲、大気汚染や汚染水の排出などの行為が繰り返されることになる。

そのような危機感や不安感から、贈与の考え方や仕組みが見直されるようになった。その根底には、原点に立ち返って経済を考えてみようという動機がある。

贈与と商業的交換のいちばんの違いは、贈与には精神的な交流がともなわれているが、商業的な交換はそれを切り捨てる傾向があることである。リンゴを一個スーパーで買い、一〇〇円を払うとき、リンゴの売り手との心の交流はまずない。しかし、誰かにプレゼントを贈るとき、そのプレゼントには「愛」や「友情」が込められていて、贈り手と受け手のあいだに精神的な交流があるのだ。「自然の恵み」という言葉にも、水や食材といった贈り物を自然からいただいたという、自然への感謝の気持ちが込められている。

このように、贈与においては、モノを与えることと精神的な交流がひとつのものになっている。だから、贈与は経済とコミュニケーションが結びつく場でもあるのだ。その意味で、格差という経済の問題と人間関係のコミュニケーションの問題を見直していくうえで、贈与はある可能性を秘めているのではないだろうか。

贈与のいま

今日、贈与は社会のなかで新しいかたちでその存在意義を示し始めている。もちろん、記念日のプレゼント、お中元・お歳暮、寄付や募金といった贈与は今でも変わらず存在している。しかし、それらだけでなく、新しく社会のなかで機能しつつある贈与もあるのだ。

例えば、臓器移植である。臓器は売買の対象となってはならない。売買は人間の尊厳を冒すからである。臓器を提供する者は提供される者に対して無償で贈与しなければならない。だから、前者はドナー（提供者）と呼ばれ、後者はレシピエント（受取人）と呼ばれる。商取引の対象としてはならない領域という点で、お金で買える人工臓器とは根本的に異なるのである。

それから、ボランティアである。ボランティアは、原則として給料は支払われない活動である。自己贈与というかたちをとる社会貢献にほかならない。町内のゴミ拾いから災害ボランティアまでいろいろとあるが、近年行政はコスト削減のためボランティアを大いに利用している。

さらに、コロナ禍で給付金が話題になっていたが、これも国からの贈与である。国民一人当たり一〇万円の特別給付があったのは記憶に新しい。それのみならず、子育て世帯への給付、収入が急に減った人への給付、事業主への給付など、いくつもの給付がある。すべて国からの緊急の贈与である。今はこういった臨時の給付が話題になっているが、前から検討を期待されている給付が、ベーシック・インカムである。これはすべての国民に対してある一定のお金を無条件で国が一律給付する仕組みである。これは実現できるかどうかわからないが、将来ＡＩが発展して人間の職の大半を奪うようなときに、検討せざるをえない贈与である。

　こういった例が示すように、贈与は必要なものとして現代の社会に新しいかたちで組み込まれつつある。今の混沌とした時代に、人間どうしの関係、自然と人間との関係を再び問い直すために、贈与について考えてみよう。

もくじ

第2章 与えられているもの

贈与と他者

第4章 新しい贈与のかたち
贈与と資本主義Ⅱ

装画　黒崎威一郎

第1章

贈与をめぐる日常

プレゼントはなぜうれしいのか

1 あげる人、もらう人

子供と大人の違い

プレゼントをもらったとき、ぼくらはどう感じるだろうか？

たぶんうれしいだろう。それが自然な気持ちだ。

ふつうはお金を払わなくては手に入らないものが、タダで手に入るのだから、うれしいのは当然だろう。

だから、プレゼントをくれる人は人気がある。サンタクロースは子供たちから大人気だ。クリスマスはイエス・キリストが生まれた日であり、それを祝うのが本来の目的なのに、主役の座はむしろサンタクロースに奪われている。クリスチャンならいざしらず、キリスト教と縁もゆかりもない者が大半を占める日本のぼくらまでがクリスマスを盛大に祝うのは、サンタクロースのおかげだ。サンタからのプレゼントの習慣がなければ、クリスマスはこれほど世界中に広まらなかっただろう。

もちろんプレゼントの習慣は何もクリスマスに限ったことではない。お正月のお年玉、バレンタインデーのチョコレート、誕生日プレゼント、などなどいろいろとある。子供の頃、ぼくらもこういう日を指折り数えて待っていたのではないだろうか。

確かに、プレゼントはうれしい。でも、いつもいつももらいっぱなしだと、何か心に後ろめたさを感じないだろうか。たまにはプレゼントをあげる側にまわりたいとは思わないだろうか。

そう考えたなら、子供はすでに大人になりつつある。というのも、ここに大人と子供の違いがあるからである。よく考えてみれば、子供はいつももらう立場にいる。クリスマスや誕生日にもらうプレゼントやお正月に受け取るお年玉以外にも、子供は親から多くのものをもらっている。オギャーと生まれて以来、母乳、食べ物、衣服、教育などなど、多くのものを両親から受け取っている。もちろんアルバイトで家計を支える子もいれば早くから自立して親に依存しない子もいるだろう。ヤングケアラーと呼ばれる親の介護をする子供さえいる。とはいえ、生まれてこの方、両親あるいは両親に代わる存在にまったく依存せずに生きることは不可能だろう。人間も含めて哺乳動物は本能的に親に依存するように作られているからである。

子供は受け取る存在なのだ。一人で生きていけないから、親が作った料理を食べ、親が買ってきた服を着て、親が払ってくれた学費で幼稚園や学校にいく。このように子供は受け取ってばかりである。

だから、子供は一人前とは見なされない。一人前でないから、もらってばかりでもかまわない。ただ、そうであるから、社会では一人前とは認められない。選挙権もなければ、飲酒や喫煙の権利もない。他人にものを与えることなく、受け取るばかりだと、社会の外に置かれてしまうのだ。

友達どうしの水平な関係

両親との関係では、子供は受け取るばかりだけれど、友達どうしでは違う。誕生日に友達を招いてパーティーを開いたとしよう。友達たちはいろいろと趣向を凝らしたプレゼントを用意してくれるだろう。しかし、誕生日はどの友達にも訪れる。友達のバースデーにお呼ばれしたら、今度はこちらがプレゼントをもっていかなければならない。もらいっぱなしというわけにはいかないのだ。ここに親子とは違う人間関係が見えてくる。家庭では両親はいろいろなものを与えてくれる。学校でも教師はいろいろな知識を与える。子供はそれを受け取っていればいいのだ。しかし、友達との付き合いでは、いつももらってばかりではだんだんと相手にされなくなってしまうのも、誰もが経験から知っているだろう。プレゼントをもらった者は、次の機会ではプレゼントを与える人になるのだ。これが社会への第一歩にほかならない。

手紙、メール、LINEもプレゼントだ。だからもらったのに返さないとこんなことが起きる。ある中学校で実際に起きた話だけれど、夏休みが始まったとき、ある生徒のところに友達からＬＩＮＥで連絡が入ったのに返事をしなかった。そうしたら、秋に授業が始まって学校に行ってみると、教室に自分の机と椅子がなかったそうだ。そこから、壮絶なイジメが開始された。たぶん、もらったものに対してお返しをするというルールを破った者への制裁だろう。怖い話だ。「村八分」という言葉があるけれど、村の掟を破った者とは付き合わないという決まりだ。残念ながら、人間関係が濃いところではよく見られる。

ぼくらは友達どうしの付き合いから、受け取るだけではだめだということをだんだんと学ぶようになる。両親や教師のように自分に多くのものを与えて育ててくれる者たちとは、受け取りさえすればいいという垂直な関係がなりたつけれど、友達どうしではそうはいかない。お互いに与え合い、お互いに受け取り合う水平な関係を覚えていくのだ。

2　贈与とお返し

悩ましいバレンタインデー

そう思って自分のまわりを見渡してみよう。贈与とお返しのいくつもの例が見つかるだろう。

まずはバレンタインデー。毎年二月一四日は、チョコレートを渡した、渡さなかったかとか、もらった、もらわなかったとかで、大騒ぎして悲喜こもごもだ。渡すほうであれ、渡されるほうであれ、わくわくして待ち望んでいるかもしれないし、あるいは一日憂鬱《ゆううつ》な気分でいるかもしれない。あるいは、まったく無関心かもしれない。

日本ではバレンタインデーは女性が恋人にチョコレートを渡す日とされているが、キリスト教のもともとの記念日はチョコレートとは何の関係もない。士気に関わるという理由で兵士の結婚を禁じたローマ皇帝クラウディウスの意向に逆らって、兵士たちを秘密裏に結婚させたために殉教した司祭ヴァレンチヌスを記念して、この日に男女問わず恋人たちや親しい者たちが愛を確認するためにプレゼントやカードを送り合ってきた。かつてぼくがフランスに住んでいたころは、クリスマスなどと比べればどちらかというと地味な印象のある風習だったと記憶している。

それが、戦後この風習がアメリカから日本に入ってくると、チョコレート会社の商業戦略に利用されていつのまにか大きなイベントにまでなってしまった。しかも、女性から男性の恋人へのプレゼントだけでは数は限られるので、友達や職場の同僚への義理チョコ、親への親チョコ、頑張った自分へのご褒美としての自分チョコなど、いろいろなジャンルのものが出てきた。スーパー、コンビニ、デパートでは一大商戦が繰り広げられる。さらには、ホワイトデーなるものまで設けられた。もちろん、聖ホワイトなんて聖人は存在しない。日本のチョコレート業界などによって勝手に作られた日だからである。これは先ほど言った、プレゼントにはお返しが必要だという発想に基づいている。

ふつうは、相手と付き合う気がなければ、チョコレートをもらってもお返しをする必要はない。受け取らないという手もある。しかし、義理チョコの場合はそうもいかない、義理でも付き合いがあるからだ。職場で同僚の女性たちから義理チョコをもらったら、もらった男性たちはホワイトデーでお返しをしなければならない。義理で年賀状の返事を書くのと同じである。職場での付き合いを円滑にするための手段なのだ。さすが商魂たくましいチョコレート会社、何かをもらったらお返しをするという、人間どうしが社会でうまく付き合っていくためのルールを巧妙に使ったわけである。

お祝いにお返しは不文律

ほかにはどんなものがあるだろうか。結婚式やその披露宴に招かれて出席するときは、手ぶらではすまない。「お祝い」なるものをもっていくことが決まりになっている。お祝いは、一言で言うと現ナマだ。お菓子や果物を買っていっても困った顔をされるのがオチである。

所帯をもつときは何かと出費がかさむので、即使える現金のほうが便利だという理由から、現金を渡すのが慣習になっているからである。いくら包めばいいかというと、社会的な地位や新郎新婦との親しさによって額は違ってくるが、収入のない学生であれば、相場はそれほど高くない。お祝いは「お気持ち」なのだから、理屈のうえではいくらでもいいのだが、そこは同調圧力が強い日本のしきたり、相場を守らない非常識な額であると、あとで後ろ指を指されたり、付き合いや仕事のうえで意地悪をされたり無視されたりすることがある。とにかくお祝いを渡して、式に列席し、披露宴で食事をし、お土産をもらって帰るのだが、これで終わりではない。

後日、「お祝い」に対して「お返し」があるのだ。お返しは半返しと言われており、こちらのお祝いの額の半分ぐらいの価格のものが贈られてくることになる。最近は、ギフトカタログが送られてきて、そこから好きなものを選べというのが多い。葬式もほぼ同じで、「香典」をさしあげて式に参列して、後日「香典返し」を受け取るのだ。こういった冠婚葬祭の儀式が面倒なので、最近は結婚式などを会費制にしてあとくされなくいくらポッキリというのも多く見られる。社会的な身分や親しさで決まるややこしい相場や、「お祝い」から「お返し」までの時間や手間など、こういった慣習には現代人のドライでスピーディな感覚に馴染まない面もあるのだ。

それから、お世話になった人へのお礼としてのお中元やお歳暮など、ぼくらの慣習のなかには、贈与とお返しが組になって見られるものがいくつもある。

3　贈り物をするわけ

人間関係を作るための手段

どうしてぼくらは贈り物をするのだろうか。

先ほど、プレゼントをもらうとうれしいものだと言ったが、そのあたりにぼくらが贈り物をする理由が見つかるのではないだろうか。贈り物の目的は、まずは相手を喜ばせることにある。誕生日プレゼントでもバレンタインのプレゼントでも、ぼくらはまず相手を喜ばすことを考える。しかし、世の中には意地の悪い人がいて、相手を困らせるようなプレゼントをわざと贈り、そのことに喜びを感じる人もいるかもしれない。相手が傷つくようなプレゼントを意図的に選ぶサディスティックな人もいるかもしれない。ただ、その場合でも、贈られた相手はプレゼントには不快に思うが、プレゼントをもらうことには喜びを感じていたのではないだろうか。もらった喜びは、プレゼントの内容を知ったとたん裏切られるのだ。意地悪な人もサディスティックな人もこのギャップを利用しているのである。また、贈る人が善意で素晴らしいプレゼントを選んでも、受け取る人の好みに合わなかったり、嫌いな人からのプレゼントは逆に不快に感じたりすることもあるだろう。しかしこの場合も、うまくいってはいないが、贈与の狙いは相手を喜ばせることであることには変わりない。

サンタクロースが人気なのも、配達してくれるプレゼントに子供たちが喜びを感じているからである。サンタクロースに「なぜプレゼントを子供たちに届けるのですか?」と聞いたら、ためらわず子供たちを喜ばすためだと答えるだろう。よくニュースで話題になる賄賂だって、相手を喜ばせるためのものである。政治家や役人に密かにブランドものや大金をわたすのは、彼らを喜ばせてこちらに有利になるように働きかけてもらうためである。このように贈り物を与えることでぼくらは相手に喜びをもたらしているのだ。

ここから、贈り物が単にモノの次元に留まるものではなく、精神の次元とも密接な関係があることがわかるだろう。バレンタインのチョコレートだって、単にチョコレートが問題なのではない。チョコレートに込められた愛情のほうが重要なのだ。だから、高価なブランドチョコよりも、絶品とは言いがたい手作りのチョコのほうが喜ばれる場合も多々あるのだ。

贈り物とは、モノを通して他人と望ましい関係を作るための手段である。そこには、愛情の関係もあれば、友情の関係もあるだろう。あるいは、コネ作りや贈賄の関係もあるかもしれない。贈り物において重要なのは、モノそれ自体ではなく、モノがもたらす喜びによる人間関係なのである。

記念日とプレゼントは切り離せない

ところで、どうしてプレゼントは記念日と結びつくのだろうか。

クリスマス、バレンタインデー、ホワイトデー、誕生日のプレゼント、お祝いや香典、お中元やお歳暮といった慣習は、なぜ存在するのか。

誰かがある人を好きになり、相手もその人のことが好きになり、付き合いだしたとしよう。ただ、この恋愛感情をいつまでも維持するのはむつかしい。付き合いはじめてから、喧嘩をしたり、相手に不満を感じてぎくしゃくする場合もあるだろう。恋の炎が燃えれば燃えるほど冷めるのも早い、とはよく言われることだ。「愛は不滅だ！」なんてコピーもあるけれど、世間を騒がせている数々のカップル解消を見ただけでも、愛は消えやすいから、「不滅だ」と思い込ませようとしているようにも見える。めでたく結婚というかたちでゴールインしても、それからが大変。長い人生では、当初の感情はだんだんと冷めていく。人間は移り気な生き物なのだ。

そんな気持ちをコントロールし、愛情を長持ちさせようとする知恵が、贈り物である。バレンタインデーやホワイトデーで恋人たちがチョコレートなどを交換し合うのは、お互いの愛情を確認し合うためだ。毎年、結婚記念日を祝って夫婦がプレゼントを交換し合うのも同じである。プレゼントを与え合うことは、愛を与え合うことの象徴にほかならない。結婚式でおこなわれる指輪の交換も、お互いの愛を目に見えるかたちで脳に刻み込む儀式なのである。その後、薬指にはめられた指輪を見ることで、愛という目には見えないものを視覚的に確認することになるのだ。

そのうえ、人間というのは忘れやすい動物でもある。恋人でも友人でも遠く距離が離れていくと、だんだんと疎遠になっていく。「去る者日々に疎《うと》し」という昔の諺は今日でも生きている。もちろん昔と違って、電話、メール、ＳＮＳなどお互いに連絡を取り合う手段は今ではたくさんある。とはいえ、生身の人間がそこにいるわけではない。だんだんと心が離れていくのは人の常である。そんなときに、関係を維持するために昔からおこなわれていたのが、プレゼントである。人間は忘れやすく移り気である。どうしても目の前のことに目が奪われてしまう。昔抱いた愛情や友情など簡単に忘れてしまう。プレゼントの定期的な交換は、ぼくらにこれまでの関係を維持するように促してくれるのである。贈り物をし合うことで互いに喜びを与え合い、お互いの気持ちを確認したうえで、できる限りお互いに会うように努力する必要があるのだ。

古代スカンジナビアの言い伝えに次のような詩がある。

よいか。友があって、
その友を信頼しているのなら、
そして、そこからよい結果を得たいのなら、
自分の心を友の心と一つにし、
贈り物をやりとりし、
足繁《しげ》くその友を訪問しなくてはならない。

「ハバマール」『エッダ』、マルセル・モース『贈与論』からの引用
（マルセル・モース『贈与論』森山工訳、岩波文庫、二〇一四年、五六―五七頁）

プレゼントの交換は、愛情や友情の維持に貢献する。贈与はコミュニケーションのひとつの手段なのだ。繰り返すが、記念日のプレゼント、お祝い、香典、お中元、お歳暮などが慣習となっているのは、贈り物を通して人間関係を円滑に進めるようにするためである。

4　贈与の力学

贈る側がつねに優位

人に物を与えるのは、何も記念日のプレゼントだけではない。社会の慣習になっているものばかりではない。

カフェでコーヒーを一杯おごったりするのも、立派なプレゼントなのだ。プレゼントという言葉に抵抗を感じるのなら、贈与という言葉に言い換えてみよう。別に誕生日や記念日でなくても、こういう類の贈与は日常茶飯事である。

多くの人が缶ジュースの一本やラーメンの一杯なら、おごったり、おごってもらった経験があるだろう。そればかりではない。学校で隣の席の同級生が消しゴムを落としたとき、それを拾ってあげるのも立派な贈与だ。筆記用具を忘れた学生にボールペンを貸してあげるのもまた贈与だろう。贈与とは自分の所有物を誰かに与える場合だけに限られはしない。何かをしてあげるのもまた贈与なのだ。とすると、ぼくらのまわりには贈与がいたるところで生じていて、気がつかないうちにぼくらは毎日贈与をおこなっているのだろう。

ところで、こういった日常でも物をもらい続けているとぼくらはどう感じるだろうか。カフェで友人に毎回繰り返しおごってもらったとしよう。そのことに引け目を感じないだろうか。相手に対してすまないという感情がわいてこないか。こういった場合、相手と五分と五分の関係にはなりにくい。知らないうちに相手より低い立場に立つことになる。

つまり贈与では、贈る人が必ず優位に立つのだ。プライドの高い人が、ただで物をもらうのを拒むとき、「俺は乞食じゃないんだ」と言うのをよく耳にする。相手に何もしてあげていないのに、相手からの贈り物を受け取ることに抵抗を感じているのだ。この人のプライドは相手が贈与によって自分より優位に立つことが許せないのである。

こういうわけだから、社会ではバランスをとるために、「おごってもらったら、おごり返す」、「贈り物をいただいたら、お礼をする」という力学が成立する。バレンタインデーにはホワイトデーがセットになり、お祝いや香典にはお返しがともなうのは、相手に借りを作ることでの負い目を解消するのが狙いなのである。

ポトラッチと朝貢貿易

贈与する人が優位に立つということで思い出されるのが、ポトラッチである。ポトラッチとは、カナダやアメリカ合衆国の太平洋沿岸に暮らす先住民の儀礼である。ポトラッチは彼らの言語で贈与を意味する。この贈与は多くの人類学者が関心をもち研究の対象としてきた。

とりわけフランスの人類学者マルセル・モースの『贈与論』で取り上げられたことで有名になり、人類学にとどまらず現代の哲学や思想にも多くの影響を与えている。

ポトラッチとは次のようなものである。

今のぼくらの慣習でも、結婚式や葬式には人を招いて歓待する。ほかにも、子供が生まれたときや成人したときに、人を招待してみんなでお祝いしたりもする。北アメリカの先住民の人たちにもこういう風習があった。こういう記念すべき行事のときに、部族の首長はほかの部族の首長を祝宴に招き、多くの贈り物をするのだ。ここまではどこの地域も同じでぼくらの慣習と変わらないのだが、ここからが違う。この贈り物が実はポトラッチ開始の合図なのである。贈り物を受け取った首長は相手に負けたと感じて悔しがり、自分の部族のもとに帰ると恥をそそぐためにより多くの贈り物を準備し、相手の首長に贈る。そうすると今度は、その首長がプライドを傷つけられ、負けじとさらに多くの贈り物をする。こうやって贈与は、相手が返せなくなるまで続けられる。そして返せなくなったほうが負けなのだ。

どこかゲームや賭けに近いものを感じないだろうか。お金はかかるけれど、現代人だったらゲーム感覚で楽しめるかもしれない。実際、遊びについての名著『ホモ・ルーデンス』を書いたホイジンガも、ポトラッチを遊びのひとつに分類している。ただ、部族の首長がポトラッチに興じ、相手と勝敗の白黒をつけることにこだわるのは、それによって部族連合での彼の地位が決まるからである。ポトラッチで勝ったほうが、相手より高い社会的ステータスを得られるのだ。気前よく散財することで勝負に勝ち高い社会的地位を得ることは、贈与する者が優位に立つ典型的な例と言えるだろう。

ポトラッチは「闘争的贈与交換」とか「財の戦争」と呼ばれるものであるが、これは戦争の代わりなのだ。ふつう「俺がいちばん偉い」とか「いや、俺のほうが偉い」なんてもめたら喧嘩になり、力で解決することになる。そんなことは歴史を振り返れば誰もが知っているはずだ。近年の戦争が示すように、文明国と言われる国々だって、利害が一致しない場合は、武力行使に踏み切ることはよくある。もっともらしい理屈をつけても、最後は野蛮な戦争なのだ。原始的な社会でもそれは同じである。戦争で決着をつけるというのが常道だ。でも、戦争というのは、人も死ぬし、勝利しても自分の部族へのダメージも大きい。しかし、社会的地位を決めるために何らかの「闘い」は必要である。投票という民主主義のルールはまだない。そこで考え出されたのが、プライドを賭けた贈与による戦いなのである。これは未開人の知恵と呼べるものだと思われる。

贈与した人が優位に立つ例は、日本の歴史にも見られる。日明《にちみん》貿易である。室町時代に将軍の足利義満が中国の明と貿易をおこなったが、これは朝貢《ちょうこう》貿易だった。この貿易では、義満が明の皇帝に多くの貢ぎ物を献上し、皇帝がお返しとして義満を日本国王という臣下に任じて下賜品《かしひん》を与えるというかたちをとる。日本は銅、硫黄、刀剣などを輸出し、中国からは銅銭、織物、陶磁器などが輸入された。そしてこの交易は、まさにプライドを利用した贈与交換なのである。臣下たる日本国王が多くの貿易品を皇帝に献上すると、中国側は皇帝のプライドにかけてさらに多くの貿易品を日本側に返さなければならない。皇帝たるものの威信に関わるからである。五分と五分では、相手と対等になってしまうのだ。実際、日本は通常の貿易の六倍ぐらいの儲けを得ていたと言われている。その莫大な富で義満は金閣寺を建立できたわけである。プライドを捨てて実《じつ》をとったのだ。

贈与と権力

ポトラッチと朝貢貿易の例から、贈与した者が優位に立つということがよくわかるだろう。贈与するということは、相手と対等の関係を結ぶことではない。贈与するだけでは、与える人が優位に立つことになる。贈与されたほうが、お返しとして同等のものを与えることで関係は平等になる。ここから贈与が権力と密接な関係にあることがわかるだろう。そこには面倒くさい関係があるのだ。これを身近な例で考えてみよう。

例えば、仕事の帰りに職場の上司が部下にお酒や食事をおごるのは許されるが、部下が上司におごるのは許されない。失礼にあたる。どうして失礼なのかと考えてみると、それは贈与する人が優位に立つからである。裏を返せば、下克上でもなければ、もともと優位な立場にある人だけが贈与する権利をもっている。その人は贈与するかしないかの決定権をもっているのだ。

学校でも同じだ。先輩が後輩におごるのは当然だと思われるが、後輩が先輩におごるのはルール違反で、せいぜいが割り勘である。ぼくは大学や大学院で教えているが、学生を誘っての懇親会や飲み会ではぼくが払うようにしている。割り勘で済ませる教師もいるが、さすがに学生におごってもらっている人は見ない。もちろん卒業生たちが「お世話になったから今日はわれわれが払います」と言って懇親会費を支払ってくれたことはあるけれど、これも教育などの贈与へのお返しとぼくは解釈している。

ここで言えることは、社会において贈与することが許されているのは、相手より年長であるとか、社会的地位が上であるとか、相手より優位に立っている人ということになる。贈与する者が優位に立つということから、社会の秩序を守るために、優位にある者しか贈与の特権を得られないという慣習が生じるのだ。

江戸時代、切腹は武士にとって名誉ある死とされてきた。仕事のうえで何か落ち度があったとき、それが大罪に相当するのであれば打ち首とされた。これは不名誉な死であったが、そこまでの罪ではない場合、あるいは情けがかけられた場合、切腹ということになる。その儀式は、忠臣蔵の浅野《あさの》内匠頭《たくみのかみ》の切腹などでおなじみだろう。江戸城の松の廊下で内匠頭は吉良上野介《きらこうずけのすけ》を切りつけて、その罪で切腹に処せられたのだ。将軍や大名が家臣に切腹を申しわたすことを「賜死《しし》」と言う。まさに死の贈与なのだ。しかも切腹は名誉な死の贈与なのだ。打ち首や磔《はりつけ》のような処刑の場合には、贈与という言葉は使われない。しかも、死罪に処せられる人より身分の高い人しか「賜死」というかたちで死を贈与することはできない。ここでも贈与が社会の身分や地位と関わりがあることが読み取れるだろう。

　これらの例からどういうことがわかるだろうか。それは、与える者が優位に立つということで、贈与が社会における権力関係を生み出すということ、それから身分や年功序列といった秩序や権力関係を肯定しているということである。

5　贈与の毒

悪意の贈与もある

　先ほどプレゼントをもらったらうれしいと書いた。確かに贈り物はぼくらの心に喜びをもたらしてくれる。それがなければ、贈与が社会的な関係を作ることはないだろう。しかし、ところで立ち止まって考えてみよう。贈与は本当に喜びだけをもたらしてくれるのだろうか。贈り物をもらったとき、困ったなとも思った経験はないだろうか。「有難迷惑」といった気分になったことは誰しもあるだろう。プレゼントをくれた人の気持ちはうれしいのだけれど、お返しをしなければと思うと気が重くなったりする。もちろんこれはケースバイケースであり、好きな人からプレゼントをもらい、お返しをすることで関係を結ぶことに純粋に喜びを感じる場合もあるだろう。しかし、浮世の義理からのものである場合は、うれしい反面、苦痛に感じる場合もある。年賀状の返事も面倒くさいが、書かないと不義理になりそこで関係が終わってしまうのも避けたいと思い、筆をとったりする。職場で義理チョコをいくつももらったら、ホワイトデーでのお返しは出費がかさみ頭が痛い。「これも一種のポトラッチだ」とか、「中国皇帝を見習え」とか自分に言い聞かせてみても、さすがにリアリティがなく、懐具合のほうに目がいってしまう。社会の慣習が強いるもののなかでは、贈り物を受けとることに子供のように素直に喜べない場合も多く見られる。

ポトラッチの場合のように、贈与することに自分の社会的地位がかかっており、相手より多くを返すことが義務づけられているゲームでは、贈り物をもらった喜びよりも敵意や対抗心のほうが大きいだろう。中国の皇帝だって、反乱や飢饉のため社会が混乱して財政難に陥ったときなどは、表面的には取り繕っても実際は朝貢へのお返しも苦しいだろう。

贈り物が苦痛の種になるのは、お返しに縛られているからである。もらって喜んでいるだけの子供時代とは違い、大人になったら贈与とお返しという厄介な社会的関係に巻き込まれるのだ。

しかも、贈り物は善意からなされるとは限らない。下心がある場合はもちろんのこと、悪意からのプレゼントも多く存在する。先ほど引用したスカンジナビアの古詩にも、「嘘」には「欺瞞」で返せと書かれている。人を陥れたりだましたりするような贈り物には、同様の贈り物を返せということである（「ハバマール」『エッダ』、マルセル・モース『贈与論』五六頁）。

政治の世界に「毒まんじゅうを食らう」という言い回しがある。文字通りの意味に取れば、毒まんじゅうは食べたら死んでしまうもので、毒殺されることである。しかし比喩的にとれば、悪意ある人から贈り物を受け取り悪の道に引きずり込まれることを意味している。賄賂などで相手とズブズブの関係になり、悪に染まってしまうことである。さらに転じて、政治の世界では、大臣のポストなどを約束されて、味方を裏切り敵方に寝返ることをさす。悪意あるプレゼントによって、政治的信条を曲げて、信頼していた仲間を見捨てるのだ。未開の人たちは贈り物には呪力が宿ると考えてきたが、悪の欲望を刺激する毒まんじゅうの魅力はこの呪力にも譬《たと》えられないだろうか。

古来、贈り物のもつ魔力について語り継がれてきた。人智を越えた呪力がそこに宿っているとされてきたのだ。ニュージーランドの先住民であるマオリ族は、贈り物にはハウという精霊が宿っていると考えていた。この精霊は元の所有者のもとに帰りたがるという傾向があり、贈り物とともに旅に出て転々としても返礼を通して必ず戻ってくるのだ。しかも、贈り物へのお返しを怠ると、帰宅できないハウの怒りを招いて災厄が訪れるという。お返しの義務を怠らないようにという未開社会のルールである。贈与というものは、自分のもっていないものを新たに手にする喜びを相手にもたらすばかりでなく、相手の命を危険にさらすような厄介なものともなっているのだ。

ドイツ語で贈り物をさす「ギフト」という言葉には、毒というもうひとつの意味がある。昔から人々はプレゼントのもうひとつの面を恐れていたのだ。それは毒まんじゅうのような悪意ある贈り物の場合もあれば、お返しを怠ることによる不幸の場合もある。一見すると素晴らしいと思えるプレゼントでも、何かの拍子に受け取った者に毒がまわることもあるのだ。

そもそも人間というものは神様みたいに上等な存在ではない。自分の心の底を覗いてみれば、そんなことは百も承知だろう。プレゼントをする場合も、人を喜ばせようと思うときもあれば、義理でしかたがないと思うときもある。さらには、嫉妬や憎悪から発せられた呪いを込めて贈り物をすることすらある。お返しの場合も同じである。喜んで感謝を込めて返すときもあれば、不承不承《ふしょうぶしょう》というときもある。あるいはポトラッチのように、敵対心を込めた恐ろしいお返しをするときすらある。

そもそも人間というものは善意や愛情だけではなく悪意や敵意をもつ存在なのだから、喜びを与えるはずの贈与が場合によっては毒に早変わりするのも当然だろう。

無意識にひそむ贈与の毒

しかも厄介なことに、愛情と憎しみは裏腹の関係にある。例えば、些細なことから恋人や友人と口論となり大喧嘩をしてしまったとしよう。喧嘩のあとしばらくするとどうなるだろうか。まだ相手への怒りは残っていても、こちらも言い過ぎたとか、自分にも非があるとか、後悔や罪悪感が沸き上がってくるのではないだろうか。どうしてそうなるかと言えば、喧嘩をしている最中は自分の意識が相手への憎しみで占拠されているのだが、時間が経つにつれて、それまで無意識へと抑圧されていた相手への愛情が意識に再び現れ出すからである。

このように愛情と憎しみは密接な関係にあるのだ。さらに付け加えると、「愛憎」なんてものもある。愛情と憎しみが同居している状態だ。具体的に言うと、誰か好きな人にフラれたのになおも思いを寄せているとき、相手への愛情をもちつつも同時に強い憎しみに囚われたりする場合である。時には、ストーカーになったり、相手を傷つけたりする犯罪に発展することもある。「かわいさ余って憎さ百倍」という言葉の意味するところだ。愛情が強ければ強いほど、憎しみも強まってしまうのである。

だから、ぼくらが誰かを愛していてそれを純愛などと称しても心の奥底には憎しみは存在しており、人を憎む場合でも憎しみの背後に愛情が隠れていたりする。人の心のなかで愛と憎しみはけっこう複雑な関係にあるのだ。

このことは贈与についても影響を及ぼしている。誰かに愛情をもって贈り物をしても、無意識に抑圧していた憎しみが頭をもたげてきたとき、愛の贈与のなかに相手への悪意が込められることがある。

例えば、深い愛情からある人が親戚の一人を助けたいと思って経済的な援助をしたとしよう。ところが、お金ができたためにその親戚が働かないで酒や賭博にふけり、自堕落な生活を送ったあげく身を滅ぼしたとしよう。普通に考えれば、親戚からの温かい援助に応えず怠けてしまった当人の自己責任ということになるだろう。お金を工面した人は褒められこそすれ、非難には値しないだろう。事実関係だけみれば、善意と愛情の人とそれらを理解できず無駄にした怠け者との関係ということになる。しかし、先ほどの愛と憎しみの両義的な関係を考慮に入れればどうなるだろうか。もし与える人の心の奥に親戚の人に対する憎しみが隠されていたらどうだろうか。「こいつを援助すればこいつはダメになる」という悪意が無意識のうちに込められた贈与の可能性もあるのだ。恐ろしい話だが、ぼくらは知らず知らずのうちに贈与を通して毒を盛っているかもしれないのである。

また、こういった無意識の攻撃性が贈与する当人に降りかかってくることもある。ポトラッチでときおり見られるのだが、身の程もわきまえずに相手に多額の贈り物をして破産してしまう場合である。相手に勝ちたいという気持ちから、自分の財力の限度を越えて相手に贈与してしまい破滅が訪れるのだ。贈与がもたらす無意識の毒は他者に対してばかりでなく、知らないうちに自分にも降りかかってくることがある。

人間の無意識というものを考えてみると、多くの場合、喜びをもたらしてくれる贈与にも危ない面があることがわかるだろう。

第2章

与えられているもの

贈与と他者

前の章では、贈り物やプレゼントとの関係から贈与について説明した。だが、贈与はプレゼントで説明しつくされるものではない。世の中にはそれ以外の贈与もいろいろとある。ここでは「与えられているもの」全般について考えてみよう。

1 校則

校則に反発したくなる理由

校則についてどう考えたらいいのだろうか。

校則とは学校が定める規則のことだ。学校によって内容は違うが、制服を着なければならないとか、スカートやパンツの丈が長すぎても短すぎてもいけないとか、髪を染めたりパーマをかけたりしてはいけないとか、いろいろとある。

こういった決まりに反発した経験はないだろうか。これくらいはやってもいいじゃないかと思ったことはないだろうか。もちろん、校則はいい加減なものではない。学校の規律や秩序を保つために作られたものであり、生徒を保護し倫理的に導くためのものだ、とふつう説明される。ただ、校則にはゆるいものもあれば厳しいものもあり、なかにはプライベートの次元まで生活に介入するものも少なからず存在する。

生徒の側も、模範的に校則に従っている者もいる。世の中には規則を守り模範的だと褒められることを素晴らしいと思っている者もいるからだ。人から褒められたり表彰されたりするのはやっぱりうれしいものだ。こういうタイプの人を批判したり皮肉る人もいるが、ぼくは人間として素直だと思うし特に悪い態度だとは思わない。

それから、守るふりだけをする者もいる。守っているふりをしながら、隠れてタバコを吸ったり、ゲーセンで遊んだりする者もよく見かける。見つからなければいいという発想だ。誰にでもそんな面はある。子供であれ、大人であれ、人間なんて所詮そんなものかもしれない。

あるいは、服装などでは、微妙に着くずしたりして、規則のグレーゾーンを突いてくる者たちもいる。規則の不備を突いて相手の鼻を明かすって楽しい。そんな場合、新しい規則が作られ、ささやかな反抗は無駄に終わるのだけれど、反抗することに生きがいを感じることがある。ぼくなんかも年を取って振り返ってみると、何とも馬鹿なことをやっていたなと思うこともあるが、その頃は無性に反抗をしたかったのだ。

ただいちばん一般的なのは、特に校則を意識せずに当たり前のものとして受け入れて、可もなく不可もなく過ごす態度ではないだろうか。無関心であたりさわりなく過ごすというのが大多数の人の世の常だ。これは学生も社会人も変わらない。

今日、校則で問題になっているのは、制服のように違いで性差がはっきりとわかる仕組みである。秩序を作る側からすれば、男性と女性がはっきりと分かれていたほうが、都合がいい。ただ今の時代、性的マイノリティの人たちなどは、男女という分け方になじまないし、そう分類してしまうこと自体が当事者を傷つけてしまうことになる。制服もダイバーシティ（多様性）が必要なのだ。だから、男性の制服と女性の制服が性に関係なく自由に選べるようになっている学校も出てきた。時代に合わせて校則も変わらなければならないというわけである。

ところで、校則なるものを意識したときに、理由はわからないがどこか反発を感じるとしたら、そのひとつの原因は、校則が「与えられたもの」だからではないだろうか。つまり、一方的に押し付けられているからではないだろうか。ここに贈与の問題がある。

学校が生徒たちの希望などとはまったく関係なく校則を決めて、自分たちに従うように要求しているから反発するのだ。学校の側からすれば、未熟な生徒の好き勝手な意見など聞けば校内の秩序が保てないという言い分もあるだろう。かつて校内暴力が吹き荒れていた時代には、学校は校則を強化して乗り切ったという経緯がある。ただ、時代が変わってきた今、これまでと同じでいいのかという問題はある。幼稚園や小学校低学年ならさすがに意見を聞くことにも慎重にならざるをえないし、かわりに保護者に意見を求めることになるかもしれないが、高校生ぐらいだと判断能力や社会性をだいぶ身につけてきているので、学校と生徒が校則についてもっと話し合う場があってもいいのではないだろうか。実際、そういう学校も増えていると聞いている。子供は成長していくにつれて、一方的に与えられるだけでは満足しなくなっていくのである。

しかし、だからといって教師と生徒が対等かと言えば、そうとは言えない。というのも、教育とは贈与だからである。生徒が自分で考えることができるように、学校は知識や技術を贈与している。だから、前章でも説明したとおり、贈与する立場の者が受け取る者より優位に立っているし、それをぼくらは当たり前のこととして受けとめているのだ。こういった関係のなかで、ときどき贈与が行き過ぎることがある。これが校則が問題となる理由だ。贈与の関係は変わらないかもしれないが、贈与のあり方を考えていくのが教師と生徒の話し合いなのではないだろうか。

2 法律

一方的に与えられているわけではない

校則の例からもわかるように、ぼくらの身近には「与えられているもの」がいくつもある。校則の延長で考えてみると、法律というものは自分のあずかり知らぬところで決められているという感がある。

六法全書を開いてみても、刑法や民法のような主要な法律でもずいぶんと条文があり、作るほうも大変だなと思うけれど、法務省のホームページなどを見ると、こちらが知らない法律などごまんとある。自分の不勉強を棚に上げて、そんな法律があったのかと驚いてしまう場合もある。主要な法律だって、自分の生まれる前に定められており、細かいところが改正されたとしても、たいていの場合は自分と関係ないところで決まっている。つまり、与えられているものなのだ。これが多くの人の実感ではないだろうか。

しかし、実際に法律を作っているのは専門的な役人たちであるけれど、国会という立法の場で最終的に審議され決定されている。国民が選挙で選んだ代表者たちが決めるので、選挙権があれば、間接的にぼくらの意志が反映されたことになっている（実感とはだいぶ違うのだが）。しかも、時代に合わせて法律も変わっていくのだから、世論が立法に反映される場合も多々ある。だからぼくらが活動をして世論を動かせば、既存の法律の改正や新たな立法も可能なのだ。前にも言ったようにぼくは昔フランスに住んでいたけれど、選挙が近くなると街頭デモやストライキがやたら多くなった。自分たちの主張を聞いてくれる政党や政治家にしか投票しないというアピールだ。こういう民主的なルールがあるわけだから、法律は一方的にぼくらに与えられているものではないのだ。

贈与としての憲法

現行の法律はこういうかたちをとっているが、贈与に関して明瞭なかたちで問題になるのは憲法である。

戦前の大日本帝国憲法と現在の日本国憲法の大きな違いのひとつは、贈与に関してである。戦前の憲法は、君主が臣民に与えてくれる欽定憲法である。憲法とはお上からの贈与なのだ。身分の高い人は贈与する権力をもっており、その贈り物はありがたくいただくしかないのだ。かつてのフランス王国やドイツ帝国もそうだが、憲法は贈与のもつこういった性格をうまく利用している。ありがたくいただいた臣民が憲法を改正するなどという恐れ多いことはできない。贈与者のみが憲法を変える力をもっているのである。

それに対して、現行憲法はどうだろうか。この憲法は民定憲法と言って、国民が自分たちで定めた憲法というかたちをとる。贈与という言葉を使えば、国民が自分たちで決めて自分たちに与えるものである。もちろん国民の代表者である国会議員が審議して決定されたのであるから、ここにも国民の意志が反映していると言える。日本国憲法は誰か偉い人が贈与してくれたものではない。国民による国民のための自己贈与なのである。だから、国会議員の三分の二以上の賛成と国民投票での半数以上の賛成を得られれば、憲法を改正することができるのだ。

ところが、この日本国憲法だがその決められ方にはいささか暗い影がある。占領下でアメリカが日本にこの憲法を押しつけたという説だ。この問題を徹底的に調べて検討したのが文芸評論家の江藤淳である。江藤によると、GHQは日本政府が作成した案があまりに保守的だったので、それに満足せずに自分たちが作った案を与えたのである。しかもその際に、GHQ案に基づかなければ天皇を軍事裁判にかける、と言って日本政府を恫喝し、日本政府が自発的にこの案を提示したように装って議会で承認するというかたちをとったのだ。だがよく考えてみると、憲法たるものは国の基本となる法律である。それをよその国が決めるのはおかしい。だから、現行憲法を改正して、日本人自身が新しく憲法を作るべきだ、というのが江藤の主張である。どんなに素晴らしいものであれ、憲法が外国から贈与されたものであってはまずいのだ。外国に贈与された憲法に服従するということは、国民にとって屈辱なのである（江藤淳『一九四六年憲法――その拘束』文春学藝ライブラリー、二〇一五年）。

それに対して、アメリカが押しつけたものであれ、内容がよければいいではないかという意見もある。大日本帝国憲法に比べれば、現行憲法ははるかに民主的だからだ。思想家の吉本隆明は逆に日本国憲法をひとつの「解放」として捉えている。象徴天皇にしろ、国民主権にせよ、戦前の「神聖ニシテ侵スベカラズ」の天皇と臣民の関係に比べれば、はるかに進歩している。アメリカが威嚇しながら贈与したものであれ、贈与された内容がよければいいのではないかという意見である（『吉本隆明・江藤淳　全対話』中公文庫、二〇一七年）。

もちろん、アメリカが新しい憲法の作成に介入したとき、まったく中立の立場でGHQ案を提示したわけではない。天皇を日本統治に利用しようとしたり、自分たちを苦しめた日本軍を無力化しようとしたり、親米国家として日本を従属させようとする意図があった。しかし、この憲法の内容が示されたとき、当時の世論がその進歩的な性格を歓迎したのもまた紛れもない事実なのである。吉本の言う「解放」感と合致していたのだろう。その後、朝鮮戦争のときに、アメリカの対日政策も変わり、日本政府に憲法改正を打診したのだが、今度は日本側が断っている。押しつけられたものを変えることはできたのにである。

新憲法を作成するあいだに日米が協議を重ねたことから、この憲法は一方的な贈与ではなく日米合作だと主張する者もいるが、占領軍とその支配下に置かれている政府との協議はけっして対等とは言えない。校則についての教師と生徒の協議と同じで、フィフティフィフティの関係ではない。アメリカの贈与はおおもとにおいて受け入れるしかないし、修正と言っても根本に関わるものではないのだ。

ただ、戦後の日米関係を考えてみると、日本はアメリカからの贈与の逆手をとってうまく立ち回っているのではないのかとぼくは思う。戦後復興期は、九条を理由に申し訳程度の軍備だけをもち、経済復興に力を注いでいたではないか。その九条にしても、普通に読めば「戦力」を「保持しない」わけだから、自衛隊の存在もおかしい。しかし、自衛権は認められるという理屈をこねて、自衛隊もOKということになっている。昨今では、自衛権は拡大され、集団的自衛権まで認められるようになり、自衛隊は海外にまで派遣されるようになった。現実に合わせながら、解釈ではばをもたせていくというやり方である。これを日本的なあいまいさといって嫌う人もいるけれど、むしろ日本人の知恵ではないだろうか。

かつて外来の仏教がいつのまにか神道といっしょになって完全に日本化してしまった事実を思い起こしてもらいたい。江戸時代の朱子学だって、その壮大な宇宙理論は完全に欠落して、徳川幕府の体制を支える倫理思想になってしまっている。その起源がどうであろうと、現実に合わせて解釈で作り変えていくというのが、日本人の伝統的なあり方ではないのか。

だから、他者から与えられたものであろうと、その起源をあいまいなものにして、受け入れつつ変えていくのが日本的なのだ。欧米の論理に立つ人はきっちり文言を変えなければならないと主張するが、こういう論理と異なるところに日本人独特のメンタリティがある。これを逆に世界に主張していって、欧米の論理に接《つ》ぎ木していってもいいのではないだろうか。日本を欧米の論理によって変えてしまうのではなく、欧米の論理のなかに日本の論理を浸み込ませていくべきではないかとぼくは思う。

アンガージュマン

民主的な国家であるなら、法律は国民が直接作ったものではないにせよ、国民の代表が作ったということで、民意が反映されている。一見、他人から贈与されているように見えても、国民もその作成に関与していることになっているのだ。だから、世論を動かすことで変更が可能なのである。

法律のように誰かが作ったもの、例えば社会制度などには同じような考えが適用できるだろう。こういった考え方は、ぼくらに社会参加を促してくれる。その最たるものは、ジャン＝ポール・サルトルの「アンガージュマン」の思想だ（ジャン＝ポール・サルトル『実存主義とは何か』伊吹武彦他訳、人文書院、一九九六年参照）。

サルトルは昔はよく読まれていたけど、今の若い人たちには馴染みがないかもしれない。彼はフランスの哲学者で実存主義者と言われているけれど、社会参加の理論家としても名高い。

アンガージュマンとは、ふつう「社会参加」と訳されるけれど、フランス語では「拘束」の意味もある。拘束とはどういうことか。人間が歴史や社会のなかに投げ込まれていてそれらに拘束されているということである。ぼくらはこの時代に生きたいとかあの社会で暮らしたいとか選べない。本当はアメリカか中国で生まれたかったかもしれない。金持ちの子供に生まれればよかったと思うかもしれない。戦国時代や江戸時代に生まれて武士として活躍したかったかもしれない。ところが、現実はそうではない。ぼくらは出自や環境を選べない。現代日本に生まれたぼくらは、時代、家族、国籍、性別といった状況に拘束されているのだ。今までの贈与の言葉で置き換えると、生まれや環境は「与えられている」ということになる。人は与えられているものに縛られているのだ。

しかし、人は環境のなすがままに生きているのではない。生きながらいろいろと選択をしている。将来なりたい職業のために高校や大学を選んだり、資格をとろうとしたりする。政治活動だって同じだ。別に駅前で演説したり、デモに参加したりするだけが政治活動ではない。投票に行ってどの政党やどの候補者に入れるかを選んで決めるのももちろん政治活動だ。しかも、この活動には選択がともなわれている。誰に投票するかはひとつの選択だけれど、棄権するのもまた選択なのだ。棄権をするのは、適当な候補がいないという理由かもしれないし、あるいはただ面倒くさいだけかもしれない。あるいはゲームに熱中して忘れてしまった場合もあるだろう。どんな理由があろうと、これも選択だ。選択から逃げることも、それはそれで「逃げる」という選択をしたことになる。人は与えられている状況のなかで、選択をして生きている。何を選択しようとそれは当人の自由なのだが、その選択は当人の責任となるわけである。だから、無能な政治家が当選して愚劣な政策を始めたら、そんな人間を当選させた有権者の責任なのである。

アンガージュマンの二つの意味が示しているように、与えられている状況に人は拘束されているけれど、同時にそのつどそのつど選択をしながら人は生きているというわけである。もちろん、何もしない、行動もしないという自由もある。しかし、それもまた、ひとつの社会選択なのだ。だから、責任をともなう。

ここで先ほどの法律の話と関係づけてみると、法律という他人が作って与えたものも、ぼくらが世論や議会を動かして変えることができるように、与えられた状況を変えることができるのだ。貧しい家庭に生まれても、才覚と行動力で大金持ちになる者もいれば、複雑な家庭環境で育っても最後は幸せな家庭を築く者もいる。もちろん、どんな場合でもうまくいくとは限らない。たいていの人は与えられたものの拘束に縛られながら、それと折り合いをつけて生きている。人は贈与されたものを多かれ少なかれ変えながら生きているのではないだろうか。

3 文法

自覚しないで従うルール

それに対して、世の中にはぼくらが知らないうちに従っており、ちょっとやそっとでは変えることができない「与えられたもの」も存在している。

それはどういうものだろうか。

例えば、文法の規則を思い出してもらいたい。英語を勉強するときに覚えさせられるグラマーというやつだ。主語や述語、品詞の分類、動詞の活用、時制、比較、関係代名詞などなど、ずいぶんと覚えさせられて、苦労したかもしれない。日本のふつうの学校で外国語を学ぶときは、グラマーは外せない。外国語を勉強するときには、意識的にこういった苦労をする必要があるのだ。

だけれど、ぼくらが日本語を話す場合はどうだろうか。生まれて少しずつ言葉を覚えていって、文法など知らなくても日本語が話せるではないか。しかも、文法の規則のとおりに話している。規則など意識しないで、さらにはそんな規則など知らなくても、パーフェクトに従っているのだ。たまに文法の授業があるとき、動詞の五段活用とか上一段活用とか覚えさせられたけれど、ぼくなんか自慢ではないがきれいさっぱりと忘れてしまっている。そんな活用を意識しなくても、日本語で読み書きや会話ができるからだ。

文法とはふだんぼくらがなんらかの言語活動をするときに自覚しないで従っているものだ。と同時に、法律と違ってぼくらやぼくらの代表が作ったものではない。もちろん、文法の法則を見つけ出したのは偉い学者たちだが、その人たちは法律を作るように文法を作ったわけではない。しかも、法律とちがって投票などでぼくらが変えることはできない。知らないうちに従っているだけなのである。

4　言語のシステム

ラング（言語）による支配

スイスの言語学者フェルディナン・ド・ソシュールは、日本語や英語やフランス語のような言語を「ラング」と呼んでいる。国語のように共同体で用いられる言語のことである。この言語を定義するにあたって、言語（ラング）は示差的な体系である、と述べている。

難しい表現であるが、どういうことか。例えば「山」という言葉がある。この言葉は単独で存在しているのではない。目の前に大きな山がそびえ立つとき、ぼくらは「山」と名指すことができる。でも、名指すことができるのは、ただ山が見えたからだけではない。「山」という言葉とともに、「海」とか「川」とかほかの言葉が存在するから「山」と名指すことができるのだ。「山」はほかの言葉と違うことでぼくらは認識することができる。ソシュールはこの「違い」を重視する。言語（ラング）の体系はまずは差異であり、差異があるからぼくらは山を「山」と、川を「川」と認識できるのだ。

言語（ラング）は、いくつもの差異が連関し合って体系をなすものであり、この体系の下でぼくらは話したり書いたりできる。ソシュールは普通に言語を使う活動（例えば会話）を「パロール」と呼ぶのだけれど、パロールはつねにラングによって支配されているのだ。ぼくたちは気づくことなく言語（ラング）によって支配されている（『新訳ソシュール一般言語学講義』町田健訳、研究社、二〇一六年参照）。

日本語を使う限り、この言葉のラングが与えられており、その示差的な体系に従っているのだが、体系自身を変えることはできない。先ほどの文法の場合と同じだ。

こういったかたちで与えられた規則やシステムは、言語だけに見られるわけではない。ほかの分野でもいくつも見られる。これは「構造」と呼ばれるもので、人類学、歴史、文学、精神分析などの分野でも研究の対象となっている。

5　結婚のシステム

現代に残る慣習

もうひとつの例として、フランスの人類学者クロード・レヴィ＝ストロースが解明した結婚の制度を取り上げてみよう。結婚の制度といっても、未開人の結婚の制度だけれど、これがけっこう面白いし、現代に生きるぼくらの慣習にも受け継がれている面がある。

日本国憲法には、「婚姻は、両性の合意のみに基いて成立し……」とある。つまり両者にその意思があれば、二人の合意の下で結婚は認められることになっている。ここでは家どうしの関係は問題にならない。二人の意思だけが重要なのだ。

しかし、時代劇など見ればわかるように、かつては家どうしが重要で、結婚もそれに縛られていた。当人たちの恋愛感情よりも、家の格が釣り合っているとか、家どうしが政治的に利用し合うとかいったことが優先されていた。当事者たちの合意による結婚なんて現代のぼくらには当たり前のように見えるかもしれないが、こういう結婚に至るまでの長い歴史があるのだ。

結婚については姓の問題もある。今の日本では、夫婦別姓は国際結婚以外には認められていない。夫か妻の姓に統一しなければならないのだ。結婚後に姓を変えた人がたとえ仕事のうえで元の姓を使っていても、それは芸名やペンネームと同じで、戸籍上の姓ではない。ところで、姓の統一だけれど、結婚するにあたってどちらの姓を選ぶほうが多いのだろうか。すでにおわかりだと思うけど、夫の姓だ。九六パーセントのカップルが夫の姓を選ぶ。なぜだろうか。やはりそこには家を前提とした考えの名残があるからなのである。

「嫁」という漢字は女偏に家で「よめ」だが、つまり「よめ」は家に入ってきた女なのだ。「嫁ぐ」という言葉は、「家に女が入る」ことを意味している。男性が女性の姓を名乗ることは、女性の家に養子に行くということである。「嫁ぐ」ことと「養子」のうち、どちらが一般的かと言えば、それは「嫁ぐ」ほうだろう。法律のうえでは、男性と女性のどちらも選べるはずなのに、慣習のうえでは夫の姓を戸籍に記すのだ。こういうところひとつとっても、家を中心にした旧来の慣習はまだどこかぼくらの心に影響力をもっている。だから慣習のうえでは、結婚とは「ある家から別の家に女性が入ること」である。

インセスト（近親相姦）はなぜタブーか

ところで、どうして「ある家」は「別の家」に女性を嫁がせるのだろうか。「ある家」で生まれた女性を「ある家」の誰かと結婚させることはできないのだろうか。そんな疑問は湧いてこないだろうか。

もちろん、「ある家」で生まれた兄弟姉妹や親子のあいだの結婚は認められない。近親結婚は御法度なのだ。どうしてか。

優生学上の理由をあげる人もいるかもしれない。血のつながりが濃い者どうしの結婚では、生まれる子供に遺伝的な問題が生じやすい、と言われている。だから、親子兄弟姉妹はもちろんのこと、法律上は許されている同族の結婚も勧められないと考える人もいる。

もっともな理屈だ。しかし、この理由だけでは、昔から近親結婚が禁じられてきた理由を説明するのには不十分だ。優生学上の理由の歴史は浅いからである。それに対して、近親結婚、いや近親相姦と言ったほうがいいかもしれない。つまりインセストは古来禁じられているのだ。旧約聖書でも、インセストの禁止は「レビ記」や「申命記」に記されており、古代日本でもインセストは「国津罪《くにつつみ》」という重罪に分類されていた。インセストが禁止されるもうひとつの大きな理由に、家族の秩序や社会秩序を保ちにくいことがあげられる。親子、兄弟姉妹、叔母と甥、叔父と姪のあいだで子供ができたら、その子供はどう定義したらいいのだろうか。例えば、母親と息子のあいだに子供ができたとする。その子供はその息子の子供であるとともに兄弟姉妹となり、二重に定義しなければならなくなる。このようにインセストは秩序を崩壊させる危険をはらんでいるのだ。社会にとっての脅威なのである。

インセストの禁止と女性を別の家に嫁がせることは、ひとつの物事の表と裏と言っていいだろう。このことから未開人の結婚のシステムを解明したのが、前述の人類学者レヴィ＝ストロースである。ぼくは家どうしの結婚の例をあげたが、レヴィ＝ストロースは家族から親族や部族にまで広げて説明している。インセストが禁止されているから、ある部族は女子を隣の部族に嫁がせる。今度は、隣の部族あるいはさらに別の部族から女子を嫁に迎える。ここには「女性の交換」のシステムが存在している。未開部族の人たちは無意識のうちにこのシステムに従っているのだ。システムは部族の人たちの個々の意思を越えて与えられており、しかも彼らの行動を束縛している（クロード・レヴィ＝ストロース『親族の基本構造』福井和美訳、青弓社、二〇〇〇年参照）。

レヴィ＝ストロースが解明した未開人における「女性の交換」システムに、現代のぼくらがそのまま従っているとは思わないが、インセストの禁止と女性を嫁がせることとの関係、女性を新たに家に迎えるという発想は、いまだにぼくらの心を縛っているのではないだろうか。

九六パーセントのカップルが男性の姓を選ぶのは、ぼくらの無意識がこの「見えざる制度」に従っているからではないだろうか。

文法、言語のシステム、結婚のシステムは、ぼくらに与えられている。しかし、それらは誰かが作ったものではない。人間が生み出したものではあるが、誰がいつどのように関与して形成されてきたかはわからない。確実なのは、これらの「見えざる制度」がぼくらに与えられているという事実であり、ぼくらが知らないうちに従っているという事実なのである。

6　知識

他者から与えられるもの

法律にせよ文法にせよ、ぼくらは知識として知っている。

六法全書なるものは大学の法学部に入ってしかたなく読んだり、法律上のトラブルや裁判沙汰に巻き込まれたりしない限り、好き好んで読まない代物《しろもの》だ。法律についてだって、関連する解説本やわかりやすい新書を読んでおけば、さしあたり十分だろう。あるいは、ネットで調べたり、テレビで弁護士が話す内容を聞きかじったりする程度で、不自由することはない。かつてぼくは大学の教養課程で法律の授業をとったけれど、文学部への進学課程だったので、教師のほうもあきらめ気味で、「臭い飯」を食べないぐらいに法律を知っておけばいいよ、とのことだった。習った内容も今ではきれいさっぱり忘れている。法律関係の職業にでも就かない限り、正直言って法律の細かいことなど知らなくても生きていける。実際に法律を作る作業に携わっている人などごく少数だから、大半の人は法律について人から聞いたりネットや本で簡単に情報収集したりしているぐらいだろう。

では言語や結婚のシステムのほうはどうだろうか。法律以上に知っていることが少ないのではないだろうか。先ほども言ったけれど、文法なんか知らなくても、日常生活に何らさしさわりがない。文法にしても、言語（ラング）のシステムにしても、教師から教えられたり本を読んだりして勉強してはじめて、なるほど、と合点がいったりする。結婚のシステムについても同じである。ふだんぼくらはこういった「見えざる制度」のもとで無自覚に生きており、誰かから教わるか、本やネットで調べるかして、こういったシステムについて知ることになるのだ。

これらの事実から何がわかるだろうか。それは、ぼくらのもっている知識の多くが、学校で習うか、人から聞くか、テレビやネットで目にするか、本を読むかによって得られた知識だ、ということである。よく考えてみると、知識って、ネットや本を通して自分で調べたとしても、それはネットの書き手や本の著者から与えられたものなのである。だから、知識とは基本的に与えられたものなのだ。

ひとつの例を考えてみよう。「エベレストの高さは八八四八メートルである」ということを正確には知らなくても、なんとなくおおよそを知っているかもしれない。クイズ王に挑戦する気でもなければ、そんなレベルでいいのだけれど、確実に言えることは、測量のエキスパートでもない限り、自分でエベレストの高さを測ることはないということだ。エベレストの高さについての知識は誰か別の人から与えられたものなのである。学校で教えられたり、本やネットから得たり、人から聞いたりして、自分のものとなった知識なのだ。

そう考えていくと、ぼくらの知識というものは実にあいまいなもので、このあやふやな知識のもとにコミュニケーションが成立していることがわかる。自分で測量したものしか知識として認められなかったら、ぼくらのコミュニケーションも知識の習得も大いに遅れたことだろう。もちろん、きちんと測量することは大切なのだが、各人が同じことをしていたのでは、人類の進歩はなかったであろう。知識の贈与は学問の発展にも不可欠なのだ。ただその反面、現代はネットやSNSのようなメディアが発達しているから、こういったあやふやな知識が一層輪をかけて広がっている。フェイクニュースが蔓延《はびこ》るのも、ぼくらが広い意味での贈与の世界に住んでいるからなのだ。

情報・資料・所与

「情報」という言葉は、英語では「インフォメーション」であり、事実や物事の事情を人に伝達することを意味している。インフォメーションは、その語源をさかのぼると、人の心のなかにかたちを形成させること、つまりかたちを与えることだ。誰かから情報が与えられると、受け取った人の心にそのかたちが浮かび上がるということである。このように情報は他者からの贈与を前提にして成立している。発信者が情報を贈与・伝達し、受信者が受け取るのであるが、受信者は情報を鵜呑みにしないで自分のやり方で変形加工して第三者に発信することもできる。そうすることで、情報のコミュニケーションは、贈与の連鎖を作っていくのだ。そう考えると、情報とは贈与の世界だとあらためて理解することができる。

それから、学生がレポートを書くときや授業の発表のときに使う「資料」は「データ」と呼ばれる。一般的には、データは事実や資料をさす言葉だけれど、この言葉の語源はラテン語の「ダーレ」である。ダーレは「与える」の意味だから、データにも「与えられたもの」のニュアンスが残っている。現代に生きるぼくらがデータを単なる事実としか見なさなくても、その根底には贈与が前提にある。今ではそんなことは意識されていないけれど、ヨーロッパの昔の人は資料がただあるものではなく、「与えられたもの」であることを自覚していたのだ。

もうひとつ例をあげると、「所与」という言葉がある。「所与」とは、数学などで前提になっていることをさしている。例えば、「三角形があると、その三つの内角の総和は一八〇度である」という公理を考えてみよう。「三角形があると」の「あると」は、日本語ではわかりにくいが、英語ではギブが使われる。つまり、「三角形が与えられると」ということなのである。前提になることには、贈与のニュアンスがあるのだ。だから「所与」、つまり「与えられたもの」なのだ。

情報、事実、資料、所与の例が示すように、ぼくらの知識は基本的に与えられたものである。贈与をぬきにして知識を考えるのは、不可能なのだ。このように考えていくと、ぼくらが知っているあらゆるものは与えられている、と言えないだろうか。もちろん、人は与えられたものをただ受け取るだけの存在ではない。受け取ったものを材料にして加工してあらたに何かを創造していくのだ。ただ、知識の獲得において贈与が不可欠なのもまた事実なのである。

贈与と哲学

ひょっとしたら、哲学なんて時代遅れのものと思っている人もいるかもしれないが、哲学はけっこう重要なことを教えてくれる。というのも、哲学の伝統は、知識の成り立ちにおける贈与の役割を教えてくれているからである。哲学の文脈でも「所与」という言葉は使われるが、そこでは、意識に直接与えられている内容を意味する。例えば、街を歩いていてワンと鳴く生き物を見かけたとする。そうすると、瞼に焼き付いたその姿はぼくらの意識の内容となる。これが「所与」である。この「所与」を材料として「犬」の概念による加工がおこなわれて、その犬についての知識が成立する。これが知識が成立する過程である。「所与」という「与えられたもの」は、この場合、外部に存在するものがぼくらの心を触発して生まれた「意識の内容」にほかならない。現代の科学からすれば、なんとも素朴な考え方かもしれない。しかし、こういった伝統的な考え方は、ぼくらの認識において贈与が不可欠だということを、教えてくれるのではないだろうか。

他者とのかかわり

それでは、誰があるいは何が与えるのだろうか。

それは他者である。具体的には他人の場合もあれば、事物の場合もある。人で言えば、学校で授業をしている教師、ネットでの情報の発信者、街で出会って話し込んだ友人、本の著者、ワイドショーのコメンテーターなどなど、あげればきりがないだろう。それから、道端でワンと吠える犬もニャンとなついてくる猫も、ありとあらゆる物や出来事も知識の対象となる限り、与えてくれるものなのだ。

また、複数の他者が与えてくれる場合もあれば、特定できない複数の他者が贈与に絡んでいる場合もある。文法や言語（ラング）などは誰か個人が作成したものではない。歴史を通して複数の他者の言葉から形成されていったものである。ここからわかることは、プレゼントの場合と違い、贈与する人が特定できない多くの贈与が存在している、ということである。

ぼくらが知識を得る限り、無数の他者からの無数の贈与を受け取っている。しかもその大半は、ぼくらが自覚することなく受け取ってしまっているのだ。

ぼくらはつねに広い意味での贈与にさらされているのではないだろうか。

第3章

贈与の慣習

贈与と資本主義 I

今までの説明からもわかるように、贈与は社会と密接な関係にある。今ぼくらが生きているのは資本主義の社会である。贈与と資本主義はどういう関係にあるのだろうか。

次にこの問題を考えてみよう。

1 贈与と社会的慣習

面倒なコミュニケーション

コミュニケーションに悩んだことはないだろうか。

最近は「コミュ障」なんて言葉が話題になるぐらいだから、他人と意思疎通ができなくて悩んでいる人も多いと思われる。自分の気持ちを理解してもらえなかったり、人の気持ちが理解できなかったりして、ちょっとしたトラブルになることは多かれ少なかれ誰でも経験している。表面的にはうまくコミュニケーションをとっているように見える人でも、心の底ではすごく傷ついていたり、あるいは知らないうちに人を傷つけている場合もある。

明治の文豪、夏目漱石はとてもデリケートで神経質な人だった。それでいて頑固で我も強かった。『草枕』の有名な冒頭はこう書かれている。

山路を登りながら、こう考えた。
智に働けば角が立つ。情に棹させば流される。意地を通せば窮屈だ。とかくに人の世は住みにくい。

夏目漱石『草枕』新潮文庫、二〇〇五年

人間関係というのは、面倒なものだ。こちらが理屈をこねて主張をすると、相手とぶつかる。相手に優しくすれば、足元をすくわれる。意地になって自分の主張を通そうとすれば、がんじがらめになってしまう。

人は誰でもエゴがあるし欲もある。他人と付き合うにしても、好みも違えば生活のペースも違う。人が何を考えているのか、何を望んでいるのかもわからない場合も多い。相手に気をつかえばいいというものでもなく、気をつかったから失敗することもよくある。だから、コミュニケーションというのは難しいのだ。

他人の気持ちを一切無視してエゴを押し通すと、わがままな人と後ろ指をさされて、みんなから嫌われる。みんながエゴと欲をむき出しにして生きていたら、社会そのものが成り立たない。だから、人々はわがままを封じ込めようとする。これが同調圧力というものである。

社会の風習と言われるものには、人のエゴを抑え込み、何らかの規律のもとに置くことで、コミュニケーションをスムーズにさせようとするものが多い。ただそれは、人を型にはめて社会に適合させることでもある。

贈与の慣習もそういった社会的役割を担っている。葬式に出席する者は、故人に対して香典を持参しなければならないし、遺族のほうは後日出席者に香典返しをしなければならない。お返しは物で返し、いただいた香典の半額を返すという「半返し」が習わしとなっている（第1章を参照のこと）。

世間と「村八分」

それでは、みんなが慣習を守っているときに、守らない者がいたとしたら、どうだろうか。香典を持参しない人とか、「お返し」をしない人とかの場合である。世間はこういった人たちを非常識な連中とみなし、付き合うのをやめていくだろうし、ひどい場合は付き合いをやめるように仲間内で呼びかけるだろう。これがいわゆる「村社会」の特徴だ。香典やお返しをしなくても、法律のうえでは罰せられない。何の罪にも値しない。しかし、世間が許さないのだ。

「村八分」というのは、村の掟を守らなかった者に対していっさいの付き合いをやめるという制裁である。正確にいうと、十のうち八分付き合いをやめ、二分だけ付き合ってやるという意味だ。その二分とは火事のときの消火活動と死んだときの埋葬である。たとえ村八分にされた人の家であっても、火事になったら隣の家にまで延焼する恐れがあるので、村をあげて消火活動に協力するのである。またその人が死んだとき、その死体をまったく放っておいたら、その死体は腐ってしまい、悪臭や伝染病の原因となるから、埋葬を手伝ってやることになる。

これは元をたどれば、江戸時代の村の風習である。今ではこんな風習は廃《すた》れてもう存在しない、という人もいるかもしれない。確かに表向きはそうかもしれない。村をあげて村八分を公然と実施したら、訴訟沙汰になってしまうだろう。しかし、村八分はちがったかたちで未だに存在しているのだ。

次のようなケースを取り上げてみよう。ある人がＬＩＮＥでコミュニケーションをとっていたとき、友人からの連絡を既読にして返信しなかった。既読スルーというやつである。しかし、ここからいじめが始まったのだ。友人はその人をわざと仲間内の集まりに誘わないで、ＬＩＮＥのグループ機能を使って仲間内で「昨日みんなで行ったスカイツリーは楽しかった」とか「浅草で食べたかき氷はおいしかった」とか発信し、その人を仲間外れにした。それ以降も、仲間みんなでその人を無視しつづけた。仲間内で連絡をもらってお返しをしなかったら、こういった制裁が科されるのだ。

こんないじめも村八分と同じと言えるだろう。こういうことは村のような共同体でなくても、友人どうしのグループや学校のクラスでもよく起こることである。この事実は、ぼくらがまだ「村社会」を引きづっていることの証《あか》しではないのか。あるいは、人間関係なるものは多かれ少なかれ「村社会」的なものを抱えているのではないだろうか。

葬式での「香典」と「香典返し」はもちろんのこと、ＬＩＮＥでの発信と返信からもわかるように、贈与の慣習はこの「村社会」を支えているのだ。

2　贈与と村社会

「村社会」の掟

かつて村ではご近所がみんなで助け合っていた。

ぼくも子供のころは長屋のような集合住宅に住んでいたが、そこではご近所さんと親しくしていてみんな仲間のような感じだった。何か困ったことがあったら、うれしいことにみんなで力になってくれた。晩のおかずを買い忘れたら、うちに食べに来いとご馳走してくれたし、塩や醤油《しょうゆ》を切らしていたら、隣の人が分けてくれた。また、ご近所さんが困っていたら、こちらができることをしてあげた。体の不自由なお年寄りがいたら、何かの折に母が作ったご飯を届けてあげたり、病院に付き添ってあげたりもした。できる範囲でのお手伝いだ。まさに「村社会」そのものである。かつての村では、刈り入れのなどの農作業の繁忙期には、お互いに手伝いに行って協力し助け合ったりしていた。その名残がぼくの子供のころの近所づきあいにはまだ存在していたのだろう。

確かにご近所との付き合いは心強いし楽しい思い出も多かったのだが、その反面こういう近い関係だと面倒くさいことも少なくない。まわりの人がおせっかいで放っておいてくれないのだ。何かあるとすぐに噂話としてみんなに伝わってしまうこともある。知られたくない秘密でも誰かがすでに知っているということもままあった。プライバシーへの配慮というのが欠如しているのだ。ご近所みんなが知らないうちにお互いを監視し合っていたのかもしれない。

ぼくは経験したことはないが、昔は親戚も同じ村にたくさん暮らしており、地縁のみならず血縁のきずなでも結ばれていた。親戚づきあいと近所づきあいが一緒になった共同体だったのである。

もちろん、現代を生きるぼくらがこの村社会なるものにどっぷりと浸かっているわけではない。この後で述べることになるのだが、こういった村社会は今の時代むしろ崩れつつある。それでも、村社会なるものは、贈与の慣習を通してディープな人間関係のなかで顔を出したりする。

ここで贈与の慣習がどうして面倒に思えるのか考えてみよう。それは前にも述べたとおり、この慣習が深く人間関係に根づいているからである。贈与には、個人の気持ちが込められていたり、権力関係が反映していたりする。バレンタインのチョコレートは愛情や義理を表現しているし、上司が部下におごることには権力関係が支配している。贈与では物の受け渡しだけが問題ではなく、そこには人間関係も重要なファクターとして絡んでいるのだ。人間関係が面倒だから、贈与も面倒なのである。人間なんてわがままなもので、あるときは人と付き合いたいし、別のときには放っておいてもらいたい。そんな気持ちを押さえて義理でもいいから付き合わなければならないのが、村社会である。義理でもらったバレンタインのチョコレートに対しての義理のお返しにしろ、年賀状に対する義理での返事にしろ、コミュニケーションをスムーズにさせるための一種の義務である。そうしないと村社会から排除されてしまうのである。

商業的交換の功罪

それに対して、物の売買はどうだろうか。基本的には、面倒な人間関係はない。ただ、どんな村でも自給自足でない限り、商業的な交換はおこなわれているし、村のなかでは親戚や友人が八百屋や魚屋をやっていて、そこで買ったりすることに人間関係が介在することもある。親しいから値引きしてもらうこともあるだろう。こういう狭い範囲の人間関係を前提にしなくても、ぼくらの多くが馴染みのブティックの店員に親切にしてもらったり、店員を友人や仲間のように感じたこともあるだろう。あるいはそんな親切にうれしくなってまたそのお店で買ってしまった経験のある人もいると思う。そもそも、どんな商取引でも最低限の信頼が必要なのだ。

しかし、売り手と買い手の関係はビジネスの関係であり、バレンタインや誕生日の贈与とは違う。売買において重要なのは、あくまで物とお金の交換であり、それによって利益を上げることである。店員の親切もつまるところ交換の成就と利益の獲得のためなのである。バレンタインのチョコレートや誕生日のプレゼントが意味する愛情とは根本的に異なっている。しかも、スーパー、コンビニ、ファミレス、ドラッグストアなどのチェーン店が席巻する今日、狭い村で売り手も買い手もみな親戚か友達のような人間関係はどんどん減ってきている。

売買という商業的交換は、人間関係を希薄にするものをはらんでいる。「村社会」のディープな関係はここでは薄まっているのである。スーパーでリンゴを一個買ってレジで一〇〇円支払ったところで、そこから人間関係のドラマが生じるだろうか。バレンタインデーやホワイトデーなら、チョコレートの受け渡しを通してドラマが生まれる可能性がまだある。両者には大きな隔たりがあるのだ。コンビニやスーパーでも同じである。店員はマニュアル通りの対応をし、そこには面倒な会話はない。あるのは、効率よく買い物を済ませることだけである。それでもレジにいるのは人間だ。気をつかう場合もあれば、最低限のコミュニケーションをとらなくてはならない場合もある。

ところが、最近は人件費の抑制と買い物の効率化のためセルフレジを設置している店も多い。そこには誰ともコミュニケーションをとらないで会計を済ますことができるメリットがある。しかし、これでは自動販売機とあまり変わらない。ネットでの買い物も同じである。家に居ながらにして、他人に気をつかうことなく、スマホやパソコンから買い物ができる。こういった場では、人間関係やコミュニケーションそのものが省略されている。ここでは贈与が支えてきた濃密な人間関係は希薄になっている。人間ですら必要ないのだ。

3　資本主義

金がすべて？

こういった傾向を推し進めてきたのが資本主義である。ぼくらの日常は多かれ少なかれ資本主義のなかにある。

ここでおおざっぱに資本主義について考えてみよう。

誰かが起業しようとしていたとしよう。そのためには、先立つものが必要だ。自分で貯めたお金が十分にあればそれでいいのであるが、足りないときはどこかから調達しなければならない。親や友達から借りてもいいし、クラウドファンディングで集めてもいい。銀行から借りてもいいし、株券を発行してもいい。資金（資本）が集まったら、会社を作り、設備を整えて従業員を雇う。準備が整ったら、商品やサービスを提供して儲けを得る。儲けのなかから従業員の給料などいろんなコストを差し引いた残りが、次の資金に回される。経済的な利益を上げて資本を増やし続けていくのが、資本主義の鉄則である。

だから、資本主義の共同体は、村社会とちがって経済的な利益の追求が第一目的である。この共同体こそが会社なのだ。現在、サラリーマンと呼ばれている人の多くがこの会社なるものに所属している。彼らは会社の上げた利益の一部を給料として受けとっており、会社が利益を上げられずに倒産したら路頭に迷ってしまう。利益という第一目標に協力せざるをえないのだ。そうだから、一般的に利益の追求が当然視される風潮が生まれてくる。しかも、会社員でない人も含めて、すべての人が会社の提供する商品やサービスの恩恵に浴している。会社のない世界なんて想像しにくいのではないのだろうか。

物を売って利益を上げるという商業的交換の仕組みは古くから存在するが、この仕組みが資本を中心に大発展するのが一九世紀のヨーロッパである。それはイギリスの産業革命によって機械化が進み、生産手段が飛躍的に進歩したからだ。その結果、大量生産と大量の物資の流通が可能になったのである。もうひとつの要因は、フランス革命による民主主義の普及である。これによって封建的な身分制度が廃止されたのだ。それまでの封建的な体制では、王、貴族、平民という身分の差が障害になって、なかなか自由な取引ができなかったのである。

今の世の中、貴族の名家の末裔であろうと、平民出身であろうと、どこでも自由に買い物ができる。長者番付にのるぐらいの大金持ちであろうと、貧乏ながら毎日食費をきりつめてコツコツお金を貯めた者であろうと、銀座の有名な宝石のブティックでダイヤの指輪を購入することができるのだ。四畳半の借家に住みカップラーメンで過ごしながらお金を貯めてシャネルのバッグを買うシャネラーですら、現に存在している。封建体制では貴族のような一定の身分の者にしか手にすることができなかったものが、誰でも支払い能力さえあれば手にすることができる。その意味で「金がすべてだ」と言うこともできよう。

身分に縛られるのではなく、貨幣との交換が優先されるというわけである。身分という不平等は崩れ、金銭の下での平等が実現されたのである。これは商取引をする人には好都合と言えよう。特定の人たちしか取引の対象にできなかった時代から、すべての人が対象になる時代へと移っていったのである。自由と平等の民主主義は、資本主義の発展にも貢献しているのだ。

贈与につきまとう不平等

前にも述べたように、贈与の慣習のなかには、身分を前提にしているものもある。罪を犯した家臣を打ち首ではなく切腹という名誉ある死に処するとき、将軍や大名は死をその者に贈るのだ。死を贈る者は、いただく者より身分の高い者に限られている。それは贈与において、与える者が受け取る者よりつねに優位に立っているからである。というのも、受け取った者は贈与者に対して借りの感情あるいは一種の負い目をもたざるをえないからである。封建体制では、身分の低い者が高い者に何かを贈与するのは、失礼にあたるわけである。

こういった不平等は現代でも贈与にはつきまとっている。会社の飲み会で、上司が部下におごることは許されるが、その逆は許されない。部活の先輩と後輩についても同じことが言える。先輩が後輩におごるのは自由であるが、その逆はむつかしい。会社でも部活でも、許されるのはせいぜいが割り勘である。ここからも贈与が上下関係という不平等を習慣のレベルで支えていることがわかるだろう。結婚式の披露宴をめぐる贈与のやりとりも同じである。参加費とも言える「お祝い」は、「お気持ち」であり自由に額を決めることができるはずなのだが、実際には新郎新婦との親しさや社会的身分によって相場が決まっている。そういうことが面倒なので、会費制にして全員同額にしたほうがいいという意見もある。近年は会費制の披露宴も増えている。贈与の習慣は人間関係を担っているが、そのなかには封建的な身分の名残や上下関係も含まれているのだ。

だから、民主的な平等を求めることは、贈与の慣習をなくしていくことにもつながってい く。割り勘や会費制もその表れであろう。ただ、贈与の慣習を徹底的になくしてしまうことは、封建的なものや不平等をなくしていくことには効果的ではあるが、それと同時に人間どうしの交流から人間的な関係が排除されていくことにもつながっていくのではないだろうか。

こういった傾向は資本主義が発展していくと強まってくる。経済的利益優先の自由競争では、「村社会」との結びつきや効率の悪い贈与の慣習はしだいに周辺へと追いやられていくのである。贈与の慣習でも、クリスマスのプレゼントやバレンタインのチョコレートのように、業界団体の商業戦略にマッチしたものは大々的におこなわれているが、こういったプレゼント商戦も資本主義ぬきにしては成立しえないだろう。近年日本でもハロウィンが流行しているが、これなども商業戦略に乗ったもので、そのシーズンになるとプレゼントの駄菓子やコスプレの衣装が街にあふれかえっている。

それに比べると同じころの七五三は、年齢が限定されているせいか、あるいは時代遅れなのか、今ひとつ盛り上がらない。七五三の千歳飴は子供たちの健康と幸福ための縁起物であるが、最近はスーパーでもあまり見かけなくなった。どれだけ利益を上げるかがバロメーターになっている資本主義が、これらの慣習の流行り廃りも決めているのではないだろうか。

要するに、利益と効率を追求する資本主義は、人間関係を希薄にしながら、「村社会」のきずなを壊していく。最終的に、そこには面倒な人間関係はない。利益以外の関係は抹消されていくからである。マルセル・モースは『贈与論』ですでに、第一次大戦後のヨーロッパを観察しながら次のように述べている。

人間を「エコノミック・アニマル」に仕立てたのは、きわめて最近のわたしたち西洋の諸社会である。けれども、そのわたしたちといえども、まだ全員がこの種の生き物であるわけではない。

マルセル・モース『贈与論』四三一頁

モースは資本主義の発展に危機感を覚えている。と同時に、西洋の社会にもそうでない部分があることに期待をよせている。モースの時代より資本主義が世界的に進んだぼくらの時代にも、モースと同じことが言えるだろうか。

広がる格差

今日世界を席巻しているのは、グローバル資本主義である。ソ連と東欧の社会主義が崩壊したあと、資本主義は地球的な規模での自由競争の段階に入った。この資本主義は新自由主義とも呼ばれ、市場が自由であること、国家ですら市場に介入しないことを求める。自由競争、規制緩和、雇用の自由化は、この主義の合言葉である。

それでは、この資本主義によって今のぼくらの社会に何が生じたのだろうか。

いくつもあるけれど、ふたつだけあげておこう。

まずは格差だ。

「プレカリアート」という言葉を知っているだろうか。馴染みの薄い言葉かもしれない。

労働者のことをプロレタリアートというけれど、それに似せて英語のプレケアリアス（フランス語ではプレケール）から作られた言葉だ。プレケアリアスは「不安定な」という形容詞だから、プレカリアートとは「不安定な身分の人」という意味になる。具体的には、契約社員、派遣社員、アルバイト生活者、フリーターなどの、雇用の不安定な状態に置かれている者たちを指している（失業者やホームレスまでも含めることもある）。

どうしてこういう人たちが生まれてしまったのか。グローバリゼーションの結果、企業は国際的な競争で勝利しなければならなくなり、コストの削減を迫られることになった。そこで目をつけられたのが、人件費である。企業は正規雇用で働く人の数を減らして、その代わりに非正規雇用の派遣社員やアルバイトを増やすことで、人件費をカットしていったのだ。日本でも法改正が行われて、従来は通訳などの一部職種に限られていた派遣社員という非正規雇用が製造業にまで拡大された。その結果、今では働く人の約四〇パーセントが非正規雇用の人たちである。つまり、雇用の不安定な人たちがどんどん増えているというわけなのだ。非正規雇用の人は正規雇用の人よりも賃金は低く、会社が一部を負担する社会保険などの保障もない場合がほとんどだ。雇用の任期も一年とか五年で終わりとなる。その後で新しい仕事をすぐに見つけられない場合も多い。

そして、こういった社会で生じるのは格差である。それは封建的な身分によるものではなく、財産によるものなのだ。正規雇用の人と非正規雇用の人のあいだには給料の差があり、さまざまの保障に関しても差がある。しかも、雇用の任期が切れて次の仕事が見つからないと、失業の状態が続き貯金を切り崩すしかない。格差が生まれるのは当然であり、しかも資本主義の加速とともに、格差もますます開いていくことになる。高度経済成長により一億総中流と言われた時代からはほど遠くなってしまったのだ。

もう昔のことだが、高校の歴史の授業で、世界史は民主主義が浸透し平等が実現されていく過程にある、という考えを教わった。フランス革命で王や貴族などの特権階級は打破され人間は法の下での平等が保証された。その平等もさらに徹底されて、大金持ちもしだいに淘汰され、財産の均一化が進んでいくのではないか、という方向性をぼくもなんとなく共有していた。マルクスだって、フランス革命という市民革命のあと、プロレタリア革命が起きて経済の格差はなくなると主張していたではないか。

しかし、今や逆なのだ。そのことを実際に証明したのが、フランスの経済学者のトマ・ピケティである。彼の『21世紀の資本』は、世界中の所得と富の分配の不平等が進んでいることを示している。彼によれば、アメリカ合衆国では、高所得者のトップ一〇パーセントが合衆国の総所得の約五〇パーセントを握るという凄まじい事態になっており、放っておくとさらに格差が広がるそうである。ぼくらはそういう時代に生きているのだ（トマ・ピケティ『21世紀の資本』山形浩生・守岡桜・森本正史訳、みすず書房、二〇一四年)。

「無縁社会」の到来

それから、資本主義の加速は貧富の差だけでなく、家族や社会のあり方をも変えてしまっている。「無縁社会」という言葉をどこかで聞いたことはないだろうか。これはNHKの番組が作った造語だ。今の社会では、かつてあった地縁、血縁、社縁が失われてしまっている、という意味である(NHK「無縁社会プロジェクト」取材班『無縁社会』文藝春秋、二〇一〇年)。

地縁というのは近所づきあいであり、血縁というのは親戚づきあいであり、社縁というのは会社での付き合いのことだ。前述の言葉で言えば、「村社会」である。贈与の慣習は、これらの縁のどれとにも関係がある。その昔は引っ越しをしてきたら近所にあいさつに行き、そばを配るのが習わしだった。引っ越しそばには、「細く長くお付き合いを」という意味が込められている。その後はそばを配る風習はなくなり、タオルやお菓子などをもっていってあいさつをするようになった。近所づきあいを重んじていた時代の名残である。

また、昔は親戚どうしの関係も密であった。子供のころは親戚の家に遊びに行ったら、夕飯をご馳走になり泊まらせてもらったし、成人してこちらが東京に来たら泊まりにきてくれた。法事があると香典やお供えを持参して親族が集まり飲み食いをするし、誰かが結婚するとまたお祝いをもって同じようにみなが集まった。

会社での付き合いは、仕事のうえの人間関係だが、仲間意識もあり酒席でおごったりおごられたりすることもあった。またこの関係をスムーズにするために、お世話になった人にお中元やお歳暮を贈ったりもした。

昔からの贈与の慣習は、地縁、血縁、社縁を維持して、お互いのきずなを深めることに貢献してきたのだ。

それが最近はどうだろうか。

例えば、都会の高層マンションで暮らしている人の中には、ご近所との付き合いがないばかりか、そもそも隣に誰が住んでいるかもわからないし、隣人の顔すら見たことがないという人も少なくない。都会の孤独である。近所の世話をあてにせず、家族だけで生活していかなければならないのだ。家族のあり方も変わってきている。何世代も同居する大家族も少なくなってきており、親戚づきあいもかつてと比べれば格段に減っている。大家族から核家族への移行が一般的になり、さらには単身化が進んでいる。

現在、独身者が増加して、二〇三〇年以降の生涯未婚率が三〇パーセント以上と予測されている。これでは少子高齢化がますます進んでいくことになる。そこでは、我が国の人口が減少していくことだけが問題ではない。人間の孤立という深刻な事態を迎えている。親族との付き合いもなければ、近所との付き合いもない、そんな社会に現代の日本はなりつつある。会社に勤めているときは、そこでの人間関係、仕事上の付き合いもあるが、退職後はそれも失われてしまう。会社で培われた人間関係は、会社を越えてその後も続くケースはそう多くはない。当然、老人の孤立が進み、その孤独死が社会問題化してくる。認知症になった身寄りのない老人の行き倒れも深刻な社会問題になっている。家族や親族のきずなも希薄なものになりつつあるから、親きょうだいが死んでも付き合いがない、お金がないという理由で、遺体や遺骨の引き取りを拒否するケースも少なからず見られる。

資本主義の加速は、人間関係を希薄なものにしていき、人間の孤立を推し進めている。それにともない、古くからの贈与の慣習もしだいに廃れ始めている。孤独な社会では、贈与する相手も見い出せないのだ。

格差と無縁をもたらす資本主義に対して、ぼくらはどうしたらいいのだろうか。

第4章
新しい贈与のかたち
贈与と資本主義 Ⅱ

加速する資本主義の行き過ぎを食い止めるにはどうしたらいいのだろうか。今日、再び贈与の考えが求められている。利益の追求という資本主義の論理にあてはまらない考え方として、贈与が注目されているのだ。それはどういうものだろうか。いくつもあるが、ここでは社会保険、ギフト・エコノミー、ボランティアについて考えてみよう。

1 社会保険

セイフティネットの役割

社会保障の制度についてまずは考えてみよう。

この制度の意味を考えるために、人間を観察してみる。

そもそも人間は一様ではない。金持ちもいれば、貧しい人もいる。スポーツ万能の人もいれば、体の不自由な人もいる。天才的な頭脳の持ち主もいれば、知能の遅れた人もいる。生まれたばかりの赤ちゃんもいれば、介護が必要なお年寄りもいる。ただ確実なのは、この社会でふつうに生きていくのに人一倍苦労している人、あるいは誰かが支えていかなくては生きていけない人もいるということである。そういった人たちの支えとなるのが、社会保障の制度なのだ。日本の社会保障には次の四つの制度がある。失業したときの保険や病気で入院したときの保険などの「社会保険」。高齢者や障害者へのサービスである「社会福祉」。収入のない人や低所得者への生活の援助である「公的扶助」。国や自治体がおこなう予防注射や健康診断などの「保険医療・公衆衛生」である。

例えば、働いていた会社を急にクビになったとしよう。そのときは、家族がいれば家族も養わなければならない。そういう場合に救済してくれるのが失業保険（雇用保険の失業給付）である。あるいは、事故や病気などで働けなくなった人は、何らかの援助がなければ暮らしていけない。そのためには社会福祉のサービスが必要だ。貧困もひどくなれば、最低限の衣食住にも困り生きていけなくなるから、こういう人たちには生活保護などが用意されている。こういったかたちで、国や自治体が救済の手をさしのべるのが社会保障である。

ぼくらが生きている資本主義社会は自由競争だから弱肉強食だ。競争に負けた企業は買収されたり、倒産したりする。会社に必要とされない社員はリストラの対象となる。競争に負けた人、無能の烙印を押された人、心や体に障害を抱えてしまった人は、会社を去らなければならない確率が高くなる。こういう厳しい社会の荒波をすべての人が無事に越えられるとは限らない。だから、社会はセーフティネットを用意してこういった人たちが最低限の生活ができるようにしなければならない。国や自治体は率先して社会保障を充実させる責任があるのだ。

ここでは社会保障のうちの社会保険にそって議論を進めてみよう。

例えば、ある中学生がケガをして病院で治療を受けたとき、医療保険が適用されて治療費の全額を支払わなくて済んだとしよう。それはその中学生が親の扶養家族で、親が働いている会社の組合の健康保険の対象になっているからである。この中学生が卒業したあと会社に就職して働き始めたら、自分の会社の健康保険組合に入ることになる。この組合がない会社の従業員は、協会けんぽという組織に属すことになっている。また、フリーランスで働いている人や自営業の人は国民健康保険に入る。こういった保険は、ふだんすこしずつ積み立てて何かあったときに給付を受け取れるという仕組みである。社会保険にはそれ以外にも、働けなくなった老後に支給される年金保険、体が不自由になり介護が必要になったときに支給される介護保険、失業したときに受け取る雇用保険、勤務時間中にケガをしたときのための労災保険がある。

モースの着眼

この社会保険を贈与の考えによって説明しようとしたのが、マルセル・モースである。この人類学者は未開人の贈与だけを研究している学者ではない。彼の関心は同時代にもある。

彼が『贈与論』を書いた動機は、未開人や古代人の贈与の知恵を研究し、それを現代に応用して行き過ぎた資本主義を変えていくことにあったのだ。

それでは、モースは社会保険をどうとらえたのだろうか。彼の説明はやや抽象的なのでかみ砕いて説明しよう。

ある人がチョコレートの会社で働いていたとしよう。いちばん単純に考えれば、その人は労働の対価として経営者から給料を受け取る。支払われたお金はボーナスまで含めて、その人が会社に捧げた労働力への対価だから、労働力と給料は等号で結ぶことができるだろう。ただ、これではリンゴ一個を一〇〇円と交換するのと同じである。人間の尊厳はいっさい考慮されていない。商品化された物と同じ扱いだ。しかし、人間の場合は会社で働いているときに、事故に遭ってケガをするかもしれない。そういったとき、会社はその人をほったらかしにしていいのだろうか。ケガをして役に立たなくなったからといって、その人への給料の支払いをストップしてクビにしてもいいのだろうか。労働力を給料の交換としか考えないのであれば、そうして当然という論理になるかもしれない。

しかし、モースはそうは考えない。会社で働くということは、ただ働いているだけではない。職場でケガをするかもしれないし、病気になるかもしれないなかで、生命を危険にさらして働くということなのである。要するに、その人は労働力ばかりか生命を会社に捧げている、つまり会社に贈与しているのだ。この二つの贈与に対して会社は応えなければならない。これらの贈与へのお返しが、給料と社会保険なのである。

勤務中の事故でケガをした場合の労災保険、突然経営がうまくいかなくなってその人が失業したときのための雇用保険、その人のふだんの健康をサポートする健康保険、その人が人生をかけて長年働き退職したあとの生活を保障する年金保険など、会社はこういった社会保険によってもお返しをしなければならない。

モースが贈与という言葉で表現しているところに、ぼくは彼のセンスのよさを感じる。物と貨幣の交換の論理とは違う考え方の必要性を、彼は感じていたのだ。保険の返礼によって労働者と雇用者のあいだに精神のきずなも生まれるのである。

しかも、会社で働くことは、ただ会社の利益だけに貢献しているのではない。それは社会の利益にもつながるのだ。例えば、その人が働いていた会社のチョコレートが売れに売れてベストセラーになり海外にも輸出されるようになったとしよう。そうすると、国にも多くの税金が入ってきて社会も潤うことになるだろう。社会でいちばん権限の強いのはやはり国家である。国家が音頭を取って、このチョコレート会社とほかの会社とを連携させながら、社会保険の制度をきちんと確立しなければならないとモースは考えた。そうでなければ、その人の贈与に対して、チョコレート会社はもとより、社会、その中心的な担い手である国家もきちんと借りを返していないことになる。お返しが給料だけではダメなのだ（マルセル・モース『贈与論』四〇〇―四〇一頁）。

資本主義が加速していくとどうもこの面はおざなりになりがちである。だからモースは、未開人たちの贈与の慣習から引き出した贈与交換の理論を使って、社会保険を根拠づけようとしたのである。

こういった贈与の考えは、いろいろなところに応用できるだろう。

コロナ禍で緊急事態宣言が発出されたとき、国や自治体は飲食店に休業要請をして、それに応じた店に給付金を振り込んだ。休業要請はあくまでお願いであり、従わなくてもかまわない。実際、開業していた店も少なからず存在した。休業をすることは、ひとつのサービス、つまり贈与なのだ。そして、この贈与へのお返しが給付金にほかならない。国や自治体からの要請に応え、そのお礼が支払われることは、贈与の考えで説明できるだろう。

しかし、コロナ蔓延のまだ初期のころ、緊急事態宣言発出にともない政府は国民一人あたりに一〇万円の特別給付を実施した。この給付に対して、ある人たちからこれをもらったら国家への依存や従属が強まってしまうのではないのか、という質問を受けたことがあったが、こういう場合にこそモースの贈与の考え方が生きてくる。

一〇万円の財源はどこか。それは基本的にぼくらの支払っている税金なのだ（財源は国債もあるが、国の予算が膨大で税金だけでは収まらないから補うかたちで国債を発行している。だから赤字国債などと後ろ指をさされているが、国債を買うのも国民である)。ぼくらは所得税や消費税などの多くの税金を国に支払っているから、特別の事態には給付金を受け取る権利があるのだ。国への税金の贈与に対するお返しが、この給付金なのである。そう考えると、給付金という、一見すると国の側からの一方的な贈与と見えるものも、実は国の側からのお返しだということがわかるだろう。だから国に対して恩や負い目といった特別の感情をもつ必要はないのだ。一〇万円の給付も、贈与交換におけるお返しにほかならない。

高齢者介護や地域医療など社会保障制度の充実が現代社会では求められているが、この制度を贈与に基づいて根拠づけていくことも、これから大切なのではないだろうか。

2 ギフト・エコノミー

「カルマ・キッチン」と贈与の連鎖

次にギフト・エコノミーについて考えてみよう。これはモースの『贈与論』に描かれているような、未開人のあいだの贈与経済のことである。かつては贈与に対するお返しというかたちで、経済は成立していた。しかし、歴史の流れは貨幣による商業的交換が中心になり、さらに資本主義が贈与経済をどんどん周辺へと追い込んでいった。だが、資本主義が高度に発展した今日、その行き過ぎに反発してこの贈与経済を新しいかたちで復活させようとする動きがある。要らなくなったものを与え合いシェアする「買わない暮らし」の運動や、農作物を消費者に贈与し「こころざし」を受け取るという「お礼制」の試みなど、いろいろとある。

そのひとつが「カルマ・キッチン」である。これはアメリカのカリフォルニア州バークレーで始まったギフト・エコノミーである。始めたのはインド料理のレストランである。そして、その考えに共鳴する人たちが、カルマ・キッチンを世界に広げていったのである。その特徴は、このレストランのメニューには価格が書かれていない、ということにある。テーブルにはメニューとともに封筒が置かれている。客は料理を注文し、運ばれてきた料理をたいらげ、楽しいひとときを過ごしたあと、自分の払いたい額を封筒に入れるのだ。いわゆるお勘定というのとは違う。もちろん、一セントも入れなくても、大金を投じてもよい。すべてその人の気持ち次第なのだ。料理やサービスに不満な人や持ち合わせの少ない人は払える額でいいし、料理やサービスに満足した人や余裕のある人は多く払えばよい。封筒は閉店後に開封され、誰がいくら入れたかわからなくなっている。

こうすると無銭飲食する人もいるように思えるが、実際にはただで食事をするのは気がひけるのか、お金をまったく払わない人はいないそうだ。そして、このレストランはペイ・フォワードの考えを取り入れている。ペイ・フォワードとは、先払いを意味する言葉であるが、この先払いは普通の意味とは少し違う。この先払いは恩送りでもあるのだ。レストランで食事をする客は、その前に食事をして封筒にお金を入れた客のおかげで食事ができるからだ。だから、その客も封筒にお金を入れれば、次の客の支払いを済ませているということになる。こういう先払いのかたちで恩が客から客へと受け継がれていくのである。まさに贈与の連鎖である。

カルマ・キッチンの試みは、ペイ・フォワードの仕組みを取り入れながら、食事の勘定という商業的交換に精神的な価値を与えている。食事とその支払いは、食事と貨幣の単なる交換ではない。そこには気持ちという精神的なものが込められているのである。このギフト・エコノミーはぼくらにレストランでの食事をもういちど見直すように促してくれるのだ。ぼくらはレストランでの食事が商業的交換であることにあまりに慣れすぎていたので、支払いにおける精神的なものを忘れてきたのである。この忘却を問い直すという点で、カルマ・キッチンの意義は認めるべきであろう。

ギフト・エコノミーの弱点

しかし、カルマ・キッチンは広がりにくいという弱点をもっているように思われる。その考え方に共鳴する人たちのあいだには浸透していくが、万人が共感できるものではないのではないだろうか。今日ダイバーシティが叫ばれ、多様な価値観を社会が認めるよう呼びかけているが、この多様性のうちのひとつと考えたほうがよいだろう。

この問題を違う例を参照しながら考えてみよう。カルマ・キッチンと似た例が日本にもある。それは法事でのお坊さんへのお礼である。仏教の葬式ではお坊さんに読経してもらったり、亡くなった方に戒名を授けてもらったりする。さらに、初七日や一周忌などの法事にもお経をあげてもらうのが習わしになっている。しかしながら、これもただではない。だが従来の慣習では、いくらいくらポッキリと料金表が明示されているのではない。読経や戒名に対して、「お気持ち」というお返しをするのだ。まさに、ギフト・エコノミーである。「お気持ち」だから、払わなくてもいい、あるいは少額でもいいと思う人もいるかもしれないが、実際には相場というものがある。しかも、僧侶側が「お気持ち」の制度を悪用して、読経や戒名の値段を吊り上げているという苦情も多い。法外な「お気持ち」を要求してくるのである。なかには、言われた額を払わないと、故人が成仏しないとか、祟りがあるとか言って脅したりする場合もあると聞く。

そこで、ある業者がアマゾンに「お坊さん便」なるものを出品した。申し込むと決まった価格設定でお坊さんの読経などのサービスが受けられるのである。それまでもこの業者はネット上でお坊さん派遣の同じサービスをおこなってきたのだが、アマゾンに出品というとでセンセーショナルな事件となった。出品に対して仏教界は猛反発して「お気持ち」をないがしろにする行為として業者やアマゾンを強く非難したからである。法事はいわば聖なる行為であり、通常の商業的交換とは異なっている。「お気持ち」による精神的な交流こそが大切なのだ。「お坊さん便」は、この聖なる行為をふつうの商品と同じ次元に引き下げてしまったというわけである。話し合いの結果、その業者はアマゾンへの出品を取りやめることになった。

それに対して、世論はむしろ業者やアマゾン側を擁護して仏教界を批判する傾向にあった。マスコミも檀家離れによって寺の懐事情が厳しい事実を紹介しつつも、お布施によるトラブルの実態を暴露していった。お坊さんが、「お気持ち」というグレーゾーンを利用して、檀家から法外な戒名料や永代供養料を巻き上げたりなどという、いろいろとあくどい行為が明らかになっていった。

それでは、なぜ世論は僧侶側に厳しいのだろうか。それはたとえ聖なる行為であろうと、

「お気持ち」による交流が成立するためには、お坊さんとの信頼関係が必要だからである。今、お坊さんと会うのは、法事のようなときだけである。ふだんからの付き合いなどなかなかない。しかも、仏式で葬式をやるにしても、自分の家がたまたま何々宗だからそのやり方で葬式をするだけなので、信仰心なんか持ち合わせていない。熱心な信者のほうがむしろ少数派だ。かつての村社会のように、お坊さんも含めて地域の共同体の一員で仲間意識があれば別だが、今では寺とのつながりも希薄になってきている。信仰心もなく、お坊さんへの信頼もなければ、アマゾンの資本主義による明朗会計のほうがましだというわけである。

このように狭い範囲で信頼関係にあったり、お互いに価値観を共有しているのであれば、ギフト・エコノミーは成立するのだけれど、価値を共有しない多くの人を巻き込んだり、信頼の希薄な人間関係を前提にする場合は、資本主義の交換のほうがはるかに都合がいいのである。

クルミドコーヒーによる「ゆっくり、いそげ」の冒険

そこでギフト・エコノミーについて、もう少しちがうやり方も考えてみよう。

ＪＲ西国分寺にクルミドコーヒーという店がある。クルミドコーヒーは食べログで全国一位のカフェに輝いたこともある。その店主の影山知明さんの著書『ゆっくり、いそげ――

カフェからはじめる人を手段化しない経済』は、贈与を通して資本主義を変えていくことに大いに参考になる。

影山さんは、自分の出店の動機を「テイク」と「ギブ」の面に分けて分析している。「テイク」というのは獲得することであるが、具体的には売上目標や年商によって手に入るものである。ここでは、どれだけ稼げるかが問題になる。まったく儲けがなければ商売自体が成立しないので、これを無視するわけにはいかない。もうひとつは「ギブ」である。これは贈与である。影山さんは人に与えることの重要性をつねに意識している。

〔…〕ぼくがクルミドコーヒーを始めた動機は、そこに暮らす人々が気軽に行き交えるような「まちのお座敷」をつくりたかったたから。

仲間とふらっと、家族でふらっと、一人でふらっと立ち寄り、そしてなんとはない会話をして帰っていく。でも間違いなく、みんな来たときよりもいい表情になってお店を出ていく。そんなことを続けていけたなら、きっと西国分寺というまち自体も、今よりもっと気持ちのいいまちに育っていってくれるんじゃないかなと思ったからだ。

影山知明『ゆっくり、いそげ』大和書房、二〇一五年、四九–五〇頁気軽に楽しんでもらえる「お座敷」を、街のみんなに与えるのが、そもそもの彼の出店の動機である。はじめに贈与ありきなのだ。もちろん、いくらぐらい儲かるかなどのお金のことも考えただろう。しかし、そういった「テイク」に先立つものとして「ギブ」の夢があったのだ。

彼のこの分析は重要だと思う。

ふつうぼくらが会社に就職すると、会議で売上目標が決められ、この目標に向かって頑張りましょうということになる。入社の際には、会社をよくして社会にも貢献するという夢を語っていた者が、日々の利益の追求のなかで身も心もすり減ってしまい、どれだけ利益を上げるかが第一目標になり、贈与の部分がいつのまにか消えてしまっているということもよくあるのだ。

しかしながら、起業家や個人事業主の動機には、影山さんのように贈与から入るものも多い。自分がレストランを開業するシェフである場合を想像してもらいたい。腕に自信のあるシェフなら、自分の得意料理をみんなに味わって喜んでもらいたいという気持ちがあるのではないだろうか。利益を上げなければ店はつぶれてしまうから儲けなければならないけれど、ただ金儲けのためだけに働いているのではない。

ぼくは企業で働いている人たちに贈与について講演をしたことがあるけれど、そのときこの贈与の面を考えるために創業者の発想に立ち戻ってみたらどうかと勧めたことがある。創業者の書いたものやインタビューを読んでみると、成功者特有の自慢話も多いのだが、ひとつの共通点がある。それは、単に金儲けのためだけに起業したのではないということだ。世の中の人々が快適に暮らすための製品を作りたいとか、自分が感動したパリのカフェ文化を日本に広めたいとか、人々に何かを与えたいという気持ちが読み取れる。もちろん、ただ儲けるためだというのでは恥ずかしいから、後付けで動機を考える人もいるかもしれない。しかし、そういう人でも後付けが可能なのは心に眠っている「ギブ」の動機があったからではないだろうか。

「消費者的な人格」と「受贈者的な人格」

影山さんはさらに客についても鋭く観察している。客は二つの人格をもっている。それは「消費者的な人格」と「受贈者的な人格」である。どんな人でもこの二つの人格をもっているのであり、二つのタイプの人間がいるわけではない。

カフェを訪れる客にはかならず「消費者的な人格」がある。それは、できる限り安くコーヒーを飲みたいという欲望に対応している。客に割引券を配布したり、貯めたポイントで安く飲めるポイントカードを渡したりすることは、この欲望を刺激する。ポイントがあるから安くコーヒーが飲めるのでこの店に来ようという気持ちを引き起こさせるのだ。これはできるだけ安く獲得しようという「テイク」の発想であり、できるだけ多くの利益を獲得しようという店の発想の裏返しに過ぎない。この「消費者的な人格」の刺激が、資本主義の加速に役立っているのだ。

しかし、人にはもうひとつの人格がある。それが「受贈者的な人格」である。これは誰かの贈与に対して反応する人格、つまり、お返しをしないと悪いなと感じる人格である。誰でもプレゼントをもらうとうれしいもので、コーヒーのおいしさやサービスによって客に「もらいすぎちゃって悪いな」という気持ちを引き起こさせるのがクルミドコーヒーの狙いである。影山さんは手作りの「くるみ餅」を客に無料でサービスする例をあげて説明している。

「ああ、いいものを受け取っちゃったな」と感じてもらえたなら、レジで一〇〇〇円を支払うとき、「ああ、一〇〇〇円なんて価値じゃないな。もっと支払ってもいいのにな」とすら感じてもらえるかもしれない。

となれば、そのお客さんはまたお店に来てくれるかもしれないし、まわりに「いいお店があってね」と紹介してくれるかもしれない。

もしくはお店に返ってこなかったとしても、その「受け取った」ことによる「健全な負債感」は、その人をして帰り道に路上のゴミを拾わせるかもしれないし、電車でおばあさんに席を譲る気持ちにさせるかもしれない。

つまり、「いいものを受け取る」ことは、その人を次の「贈り主」にすることなのだ。

影山知明『ゆっくり、いそげ』五五頁

人はいいものをもらった喜びから今度は自分が贈与しようとする気持ちにかられるのだ。そのことで客がクルミドコーヒー店のリピーターになる場合もあれば、別のほうへの贈与につながる場合もある。客の「受贈者的な人格」を刺激することは、その人に贈与の気持ちを目覚めさせることでもあるのだ。

これは贈与を通して心の関係を作り出そうという試みである。そこには利益に還元されるだけの関係ではなく、それ以上の関係がある。これを生み出しているのが贈与であり、しかも商業的交換のなかの贈与なのである。

さらに影山さんは「受け手」(客)が「贈り手」(店員)を育てると言う。「受け手」が「贈与物」をどう思うかで「贈り手」は育つというのだ。客が感謝しているのか、また来店しようと思ってくれているのか、あるいは店に不満なのかを知ることによって、店も成長できる。そのために、彼が始めた地域通貨「ぶんじ」には、客が感想や気持ちを記入する欄がある。これによって贈与にともなう精神的な交流、贈与とお返しによる交流が進むのだ（影山知明『ゆっくり、いそげ』一二〇－一二五頁）。

ただ、こういう贈与の発想は、人間関係を作っていくことが目的のひとつであるから、不特定多数の客を対象とするものではない。もちろん、カフェはすべての人に開かれているのであるが、すべての人がクルミドコーヒーの試みに共感するとは限らない。できるだけ安いコーヒーが飲めればそれでいいと言う人もいるだろう。必要な時間をそこで過ごせればそれでいいと言う人もいるだろう。

全国チェーンのファミレスやコーヒーショップは「不特定多数」を相手にしており、そのためのきちんとしたマニュアルもある。客の顔が見えなくても、対応できるようになっている。ただ、たしかに集客にはいいのだが、そこからは贈与を軸にした精神的な交流が生じる可能性はきわめて低くなる。しかも、このような営業では、客とは単純な関係しか結べず、きめ細やかなサービスは到底期待できない。

それとは逆に「特定少数」を相手にするのであれば、客との関係は親密であり、客ごとに応じた丁寧なサービスをすることもできるだろう。しかし、これでは客は本当に価値を共有しているごく少数の人に限られるだろうし、高い価格設定でなければ営業を続けるのも難しいだろう。

そこで、クルミドコーヒーは「特定多数」という、相手の顔の見えるサービスが可能な人数の最大のところを狙ってくる。来訪する客がクルミドコーヒー店と共有する価値をひとつにとどめず、複数に広げていくのだ。飲食店としての価値、出会いの場としての価値、共感できるスタッフがいるという価値などである。価値は人それぞれだが、顔の見えるサービスなら、それぞれの価値に適したサービスを選択できるだろう。影山さんは、年間来訪者の数とSNSフォロワーの数から推理して、この「特定多数」を割り出している。多くのギフト・エコノミーがひとつの価値の共有からどうしても「特定少数」に陥りがちなのに、クルミドコーヒーは複数の価値の共有により「特定多数」の客へとはたらきかけようとしている。この作戦はほかのギフト・エコノミーにとっても参考になるのではないだろうか（影山知明『ゆっくり、いそげ』四一―四四頁）。

ぼくはクルミドコーヒーの冒険はとても重要だと思う。そこには、贈与と利益の両立、精神的交流と商業的交換の両立が意識されているからである。資本主義を変えていくには、資本主義にギフト・エコノミーを対抗させるだけでは不十分である。資本主義の内部に贈与の原理を介在させ、それを内側から変えていくべきではないだろうか。影山さんの実践には、贈与を通して資本主義に変化をもたらすヒントがいくつも見い出せるだろう。

3　ボランティア

ゆるやかな自己贈与

営利とは異なる論理で動いている活動にボランティアがある。ボランティアはもともと中世ヨーロッパの十字軍に志願する者たちをさしており、一九世紀の国民国家では志願兵をさす言葉に転じた。しかし、今の日本ではそういった軍事的な意味ではなく、自発的に無報酬で他人のためになることをする者という意味で使われている。その活動には、街のゴミ拾いから災害救助までいろいろとある。阪神淡路大震災や東日本大震災のような大災害のときには多くのボランティアが集まって活躍した。ただ、被災者を助けたいという気持ちがあっても、実際現場に行ってみても何をしていいのかわからない。各人が勝手に行動して逆に有難迷惑になる場合もある。そういうことがないように、NPO法人の人たちがうまく組織してくれる。医療技術をもっている人は、医療の班に回されるし、力仕事が得意なら、それに適した役割が割り振られる。こういったかたちで適材適所の活動ができるわけである。

このボランティアは、贈与とも深く関わっている。何を贈与しているかと言えば、自分を贈与しているのである。彼らの行為は、例えば被災者に自発的に見返りもなく自分を贈与し捧げることにある。これがボランティアの基本的なあり方だけれど、実際にはもう少しゆるやかにおこなわれている。給料をもらう有償ボランティアも存在するからだ。世界中の戦争、紛争、災害の地域に赴き医療活動をする「国境なき医師団」は、高度なスキルをもった医療従事者の集団であるが、彼らは生活のために給料をもらっている。もちろん、彼らの活動も給料も「医師団」への寄付金でまかなわれているのだが、彼らの行為にまったく見返りがないわけではない。このようにボランティアといっても、現実の活動に合わせて多様であり、純粋なかたちでのみ考えるべきではない。「国境なき医師団」も、会社のような営利の組織とは根本的に異なるからである。

このことは、ボランティアの定義に求められる自発性や利他性についても言える。

ぼくの教えている大学には、ボランティアセンターなるものがあり、そこではボランティアについての情報提供や活動の支援をおこなっている。このセンターがまだ計画段階のときに関係する教員に意見が求められたのだけれど、ボランティア活動は自発的におこなうべきものであり、大学のような組織が斡旋すべきではないと主張する先生もいた。この先生はボランティアを真面目に純粋にとらえようとしたのだ。ボランティア活動をしたかったら、大学の世話にならず自分で勝手にやればいいという考えだ。もちろん大学がやっているのは、ボランティア希望者への情報提供や活動の支援であり、その強制ではない。やりたくない人はやらなくてもかまわないというスタンスだ。

ただ、その先生が不信感をもっているのは、大学がボランティアセンターを設置するのは、ボランティア活動が学生の就職に有利に働くという思惑があり、強制ではないにしろ就職をチラつかせながら積極的に勧めているのではないか、という点である。実際、ボランティア活動に参加した学生に参加理由を聞いてみても、履歴書にその経験を書いたほうが就職に有利に働くからという正直な答えが返ってくる。ボランティアはキャリアアップのための手段となっているのだ。無報酬で働くのであるが、ちゃんと見返りを得ているというわけである。ウィン・ウィンの関係と言ってもいいだろう。利他も純粋なものではなく、計算づくのものなのだ。

こういうときに、動機が不純だと言って目くじらを立てるべきではない、とぼくは思う。動機がなんであれ、ボランティアを学べばそれでいいのではないだろうか。ボランティア活動に何かを感じ取れればいいのではないだろうか。肝心なのは、純粋なボランティア、つまり純粋な自己贈与ではなく、不純なものをはらんだうえでの自己贈与なのだ。もちろん、企業に就職するためのボランティアということで、贈与は資本主義に取り込まれているとも言えるだろう。しかし、ボランティアの経験を活かすことで資本主義を変えていく可能性も生じていくのではないだろうか。自己贈与の経験が営利の論理に飲み込まれたとしても、そのことを通して逆にこの論理自体に変容をもたらすことも期待できるだろう。

ボランティア精神の根底にあるもの

大災害のときに多くのボランティアが集まる。それはひとつには、災害の情報やボランティア募集の情報がすばやく発信され、多くの者がそれらの情報を共有できる環境に身を置いているからである。しかし、それだけではない。大災害のときには、多くの人がボランティアの精神を呼び起こされるから、人が集まるのではないだろうか。

災害のとき、多くの人は思わず人助けをしてしまう。例えば、大地震があり、自分が逃げようとしているときに、おじいさんが腰を抜かして動けなくなったとする。その際に、自分は確実に助かるとわかっており、おじいさんも救えるととっさに感じたら、どうするだろうか。おじいさんを背負ったり、手を引いたりしていっしょに逃げるのではないだろうか。

こういうときに、人は根本的につながっている、とぼくは感じる。これは他者への自己の贈与なのだ。相手に感謝されたいなんて気持ちすらいだくことなくおこなわれる自己贈与である。ましてや、背負ってやったから金をよこせなどとは言わない。ウィン・ウィン以前の関係と言えるだろう。ここにボランティア活動の原点がある。

それでは、コロナ禍という未曾有な災害で人はつながったのだろうか。

これに関して、ブレイディみかこさんが面白いことを書いている。彼女はロンドンに住んでいるのだが、新型コロナウイルスが流行し始めたとき、次のような意外な出来事が生じたのだ。

実際、コロナ禍勃発当初の英国の地べたの光景は、「あり得ない」ことの連続だった。平時では絶対に知らない人には明かさないだろうプライベートな電話番号やメールアドレスを書いて「自分にできることがあったら何でもやるので、困っている人は連絡をくれ」というチラシを家の外壁に貼っていた人、「老人や感染者を支援するグループをつくりたい」という手作りフライヤーを近所の家のレターボックスに入れまくった人など、「助け合いたい」人間の欲望がストリートで爆発していた。あれこそが、アナーキーな欲望に基づく相互扶助の姿である。あれは道徳心から起きたことではない。そうしなければならないからやるのでもない。みんなそうしたかったのである。だからこそ（電話番号が悪用されたり、スパムメールが大量に届いたりして）後で後悔するかもしれない「あり得ない」レベルまでやってしまう。

ブレイディみかこ『他者の靴を履く——アナーキック・エンパシーのすすめ』
文藝春秋、二〇二一年、二一〇頁

みんな人にサービスしたいのだ。困っている人にボランティアしたいのだ。贈与の精神が純粋なかたちでここには見られるだろう。みんなでつながり助け合いたいという気持ちが心の底から呼び起こされたのである。ブレイディみかこさんも知り合った近所の人たちと、高齢者や基礎疾患のある人々の家に食材を届けるボランティア・グループを結成し、そういった人たちの家々に電話をかけて、生活必需品が切れてないか聞いたり、雑談の相手になったりするというサービスをおこなったのだそうだ（『他者の靴を履く』一七〇―一七一頁）。ふだんは付き合いのない人とも知り合いになり、共同で助け合い、コロナ禍に対処したのだ。人間の共同性の原点はこういうつながりにあるのではないのだろうか。

ここで注目したいのは、災害時には、人種の違い、貧富の差、思想の違いに関係なく、人々はつながるということである。こういうときは、白人であろうと、黒人であろうと、アジア系であろうと関係ない。金持ちであろうと、貧乏人であろうと協力し合っている。9・11の同時多発テロに見舞われたニューヨークでも、倒壊したツインタワーの現場にさまざまな人たちが集まり被災者の救助や支援に協力した。消防士や警官といった救助のプロばかりではない。通行人や小学生、大企業のエグゼクティヴからホームレスまで、一緒に災害に対処したのだ（レベッカ・ソルニット『定本　災害ユートピア』高月園子訳、亜紀書房、二〇二〇年、二七二―

三四〇頁)。

しかし、災害が一段落して平時に戻ると、こういったつながりは解消される。ロンドンでもロックダウンが解除されてふつうの日常がもどってくると、相互扶助は終わりを告げたそうである。人種の違いによる差別、貧富の差による距離、思想や主義の対立が、再びはばをきかせはじめた。つながりの気持ちは無意識のなかに深く押し込められてしまったのだ。

贈与によるつながり

このようなつながりをどう考えたらいいのだろうか。危機に際しての本能的な種の保存ととらえるべきだろうか。そうかもしれない。例えば、アリは巣を作ったり外敵に対処したりするような単独では難しい事態においてはお互いに協力し合う。これは本能的なものである。ブレイディさんも言及している「相互扶助」の考えを提案したのは、アナキズムの思想家クロポトキンである。「相互扶助」の精神は、動物から人間まで備わっている。人間も動物もその種においては弱肉強食ではなく、お互いに助け合っているのだ(ピョートル・クロポトキン『〈新装〉増補修訂版　相互扶助論』大杉栄訳、同時代社、二〇一七年)。この助け合いを、お互いの自己贈与ととらえてみよう。ぼくらの根本には贈与によるつながりがあるのではないだろうか。

人種、国籍、肩書、貧富、思想信条は人間のアイデンティティを作り上げている。白人であることとか、日本人であることとか、何々商事の課長という肩書とか、ヒルズ族などの金持ちを象徴する呼称とか、左翼か右翼かの区別とか、人は自分を定義する多くのアイデンティティをかかえている。そして、このアイデンティティは、他人と自分を区別するためのマークであると同時に、社会的なヒエラルキーを示す指標でもある。ぼくらはこういった違いによって、他人を見下したり、嫉妬したり、反発したりするのだ。

　こういったアイデンティティはその人の生まれつきの特徴に由来するものもあれば、後から獲得されたものもあるだろう。変更できるものもあれば、一生つきまとうものもある。ここから、ぼくらは同じアイデンティティの者どうしでつるんでほかのアイデンティティの者たちを差別したりする。アメリカの白人による黒人差別などその典型である。しかし、よく考えてみれば、どの差別もその理由をたどれば嘘くさいものであり、合理的な根拠を欠いている。多数派や権力者に都合のいい理屈に過ぎない。

　ところが、危機のときはどうだろうか。こういったアイデンティティに人はとらわれなくなってしまう。ブレイディみかこさんが証言している、ロンドンの人たちが抱いたサービスしたいという気持ちはこれなのだ。こういう贈与の感情のなかで、人間は本当の意味でつながるのではないのだろうか。ふだん自分の属性だと思い込んでいたものを捨て去ったあとに、ぼくらは根本的な共同性をもつのである。

今日、資本主義の加速によって人間関係が希薄になってしまっている。無縁社会と言われる現実にぼくらは直面している。こういう時代においては、この根本的な共同性から出発して、人間関係を考え直していくべきではないだろうか。その際に、贈与や自己贈与は重要な役割を担っているように、ぼくには思える。

第5章
自然の贈与
感謝するということ

今まで述べてきた贈与の関係は、人間と人間との関係であった。贈与はぼくらの社会の重要な要因であった。しかし、贈与は人間関係の構築にとどまるものだろうか。というのも、人間と自然との関係も贈与で語られてきたからである。

最後にこれについて考えてみよう。

1 気候変動

加速する温暖化

このところテレビの天気予報で「今までにない」「観測史上初の」「何十年に一度の」という言葉をよく耳にする。大げさな表現と批判する人もいるが、気象庁としてはぼくらに警戒の気持ちをもってもらいたいから、強い表現をあえて使っているような気がする。

ひと昔前は梅雨と台風がいっしょにやってくるなんて思いもよらなかったのだけれど、今では当たり前になっている。記録的な集中豪雨の結果、今まで大丈夫だった堤防が決壊したり、土砂崩れで家が呑み込まれたりする被害も後を絶たない。「線状降水帯」のような専門用語すら頻繁に耳にするので、いつのまにか覚えてしまった、などという経験はないだろうか。

「今までにない」「観測史上初の」「何十年に一度の」という言葉は、気温にも当てはまる。気温が四〇度を越えたのは戦前に二回、その後は一九九四年に二つの都市だけで、四〇度越えは極めてレアなケースだったのだが、二〇〇七年度以降は頻度が高くなり、二〇一八年以降は毎夏の恒例行事になっている。熱中症で病院に搬送される人の数も増えているというニュースもよく耳にする。日本が亜熱帯化していると言われるが、それもぼくらの日常から実感できるだろう。

こういった気候変動の原因は、地球温暖化にある。この温暖化を引き起こすのが、温室効果ガスであり、このガスのなかでいちばん影響力の強いのが、二酸化炭素である。この二酸化炭素を排出しているのが、石炭や石油といった化石燃料であり、一九世紀の産業革命以来、エネルギー源として石炭と石油は欠かせなかったから、温暖化は必然的な帰結ということになる。また、植物の光合成は二酸化炭素を吸収して酸素に変えてくれるのに、各地でおこなわれてきた森林破壊は温暖化に拍車をかけている。

実際、温暖化のせいで、北極の氷が溶けてホッキョクグマ（シロクマ）の生息できる範囲も年々狭まっており、生息数も減少している。南極やグリーンランドの永久凍土の融解も進んでおり、南太平洋のツバルやフィジーなどの海抜の低い国々では、高潮による被害が増大している。しかも、田畑や井戸に入ってきた海水のせいで、農作物に甚大な被害が及んでいるのだ。なかでもツバルでは水没するのではないかという危機感からニュージーランドへの移民も積極的におこなわれている。環境難民である。

こういった状況に世界各国が手をこまねいていたわけではない。一九九七年には各国の首脳が集まって「京都議定書」を採択し、二〇〇八年から二〇一二年までの温室効果ガスを五パーセント削減する目標をかかげ、先進国が国ごとに削減目標を決めて対策をおこなうことを決めた。その後、二〇一五年には「パリ協定」を採択し、二〇一五年から二〇三〇年まで世界の平均気温の上昇を産業革命以前にくらべて二度より十分低く保ち、一・五度に抑える努力をする義務を先進国のみならず途上国にも課した。気候変動対策は国際的な会議の場で積極的に取り上げられてきたのだ。二〇一五年の国連サミットで決められたSDGs（持続可能な開発目標）の一七の項目のなかのひとつには、「気候変動に具体的な対策を」がある。この数年メディアでもよく取り上げられているので、お馴染みであろう。国際機関に危機意識がないわけではないのだ。

こういった上からの改革だけではなく、環境活動家たちの草の根の実践もある。一口に環境活動家といっても、反原発の運動をしている人とか、動物保護の活動をしている人もおり、さまざまなジャンルに分かれている。温暖化対策について活動する者のなかでも、いちばん目立っているのが、スウェーデンのグレタ・トゥーンベリである。彼女は、大人たちが未来を台無しにしているとして、学校で「気候変動のためのストライキ」を実行し、大いに話題となった。現状のまま温暖化が進んでいくと、グレタたちの世代、さらにはその子供たちの世代に大きなしわ寄せがくることになるのだ（マレーナ＆ベアタ・クレマン、グレタ＆スヴァンテ・トゥーンベリ『グレタ　たったひとりのストライキ』羽根由訳、海と月社、二〇一九年）。

自然の支配

こういった地球環境の悪化を引き起こしたのは、資本主義である。産業革命以来、石炭や石油などの化石燃料をエネルギー源として大量に消費することで経済を成長させてきたのは、まさにこの資本主義だからだ。しかし、パリ協定やＳＤＧｓが目指すのは、資本主義を克服することではない。資本主義による経済成長と温室効果ガスの削減を両立させることなのだ。こういった温暖化対策が資本主義それ自体を問わないのは問題だとぼくは思うのだけれど、これについてはここではふれないでおこう。

今ここでぼくが問題にしたいのは、人間による自然の支配の肯定である。この支配の発想がベースにあるから、資本主義による環境破壊が可能になったのである。

欧米のものの考え方の根本にあるキリスト教は、人間による自然の支配を神の意志によるものとしている。旧約聖書の「創世記」によると、神は天と地を創造し、植物や動物を造ったあと、人を造った。そしてこう言った。

我々にかたどり、我々に似せて、人を造ろう。そして海の魚《うお》、空の鳥、家畜、地の獣、地を這うものすべてを支配させよう。

創世記1・26『聖書』新共同訳、日本聖書協会、一九八八年

また、植物についてはこう言っている。

見よ、全地に生える、種を持つ草と種を持つ実をつける木を、すべてあなたたち〔人のこと〕に与えよう。それがあなたたちの食べ物となる。

創世記1・29

神の似像である人間は、動植物を支配する権限を神から付与されている。この発想が、キリスト教を通して西欧のものの考え方や科学に大きな影響を与えてきたのだ。人間が自然を支配できるのは、神がそう望まれているからなのである。

近世になると、哲学者デカルトは「我思う故に我あり」という原理を発見した。それは、「考える我」の存在は確実なものであり、あらゆる思考の基盤だということである。これにより、人間精神の自律性が確立され、そのことで自然は精神が支配する対象となっていった。例えば、動物はこういった精神をもたない存在であり、ぜんまいじかけの機械のようなものであった。人間と動物のあいだに明確な境界が引かれるようになったのだ。また、「知は力なり」の名言を残した哲学者フランシス・ベーコンも、観察と実験を通した知識によって自然を征服し支配できると考え、近代科学の発展に大きな影響を与えた。

こうして近世以降、西欧の科学は自然の支配を前提に発展していった。ぼくらは多くの分野でその科学の恩恵を被っているのは事実である。だがその一方で、自然の搾取、森林破壊、大気や海水の汚染といった環境問題も同じ科学が生み出したものにほかならない。

気候変動も欧米の自然観から生じた現象と言えるだろう。しかし、気候変動を食い止めようとするパリ協定もＳＤＧｓも、自然の支配という考えから抜け出しているとは思われない。資本主義による経済成長と温室効果ガス抑制を両立させるということは、今までとは異なる科学技術とビジネスの要請ということではないだろうか。とすると、新しい技術によって、今までと異なるかたちで自然を支配しようということであり、自然の支配という発想それ自体は何ら変わっていないと言えるのではないのだろうか。

2 自然の恵み

「生態系サービス」「自然資本」という考え

使い古された言葉に、「自然の恵み」というものがある。

この言葉を聞いて連想するものは、いろいろあるだろう。例えば、都会の水道水ではなく、山奥の湧き水から作られた天然水、農薬を使わずにできる限り土地と植物の力を活かして栽培された野菜や果物、養殖された魚ではなく、釣り上げられた天然の魚、などなどである。共通しているのは、人工的に作られたものではなく、自然が与えてくれたもののイメージだろう。しかも、「恵み」という言葉が意味するように、自然の贈与に対するリスペクトもそこには含まれている。

この「自然の恵み」を生物学や経済学の視点から新たに定義し直したものに、「生態系サービス」というものがある。これは、自然の生態系による人間へのサービスのことである。例えば、植物の光合成は二酸化炭素を酸素に変えてくれて、そのおかげで人間は地球で生きていくことができる（基盤的サービス）。ぼくらが食べる野菜、肉、米、小麦も自然なしには手に入れることはできない（供給サービス）。森林は土砂崩れを防いだり、台風などの災害から守ってくれる（調整サービス）。休みの日に、ぼくらは海水浴やハイキングに行ったりするが、そういったレクリエーションにも自然は貢献している（文化的サービス）。

だから、多様な生物によって支えられた生態系は尊重しなくてはならない。それが人類に利益をもたらすからである。そもそもサービスという言葉には、「役に立つ」や「利益をもたらす」という意味があり、「自然の恵み」も「情報サービス」や「医療サービス」と同列に取り扱われている。人間にとってどれだけ役に立つかが重要なのだ。

「生態系サービス」は「自然資本」とも言い換えられる。そうなると、自然や生態系は生産活動の原資ということになる。利益を生む経済活動の一環に組み入れられるのだ。「恵み」という贈与の発想は、そこでは消えてしまっている。

「生態系サービス」や「自然資本」の考えが、自然の搾取をやめさせ、自然の保護に貢献しているのは紛れもない事実である。「自然の恵み」のような、「神の恵み」に類するような宗教に近い意味からではなく、人類にとっての有益さを科学的なデータと合理的な根拠によって証明することで、これらの考えは自然の価値を示してくれたのである。自然は人間の生活の役に立ち、経済的にもメリットをもたらしてくれるのだから、自然を保護し、自然と共生していかなければならないというわけだ。

しかし、こういった考えにはどこかもの足りないものをぼくは感じる。というのも、「生態系サービス」も「自然資本」も自然を今までとは異なるかたちで支配し飼いならそうとしているように思えるからである。そこに見え隠れするのは、新たなエコビジネスである。自然を傷めつけないで保護しながら、人類への利益をもたらすもの、経済成長に貢献するものへと自然を変えていくことなのだ。ぼくがこの種の発想に欠けていると感じるのは「感謝の念」である。「自然の恵み」という言葉には、自然の贈与に対する感謝の念が表現されていた。これが自然との関係を考えるにあたって重要なのではないだろうか。ぼくらが人間関係を考えるとき、相手が役に立つという面だけを考慮に入れるだろうか。利益追求のビジネスの現場ならそうかもしれない。しかし、人間関係はそれだけではない。贈与の関係の場合、商業的な交換と違い、与えられたものへの感謝という精神的な価値がともなわれていたではないか。それと同じように、自然からの贈与を考えるとき、精神的な交わりも考えるべきなのである。

次に、精神的な交わりも意識しながら自然の贈与について考えてみよう。

太陽の贈与

「自然の恵み」に欠かすことができないものとして太陽の光がある。太陽が地表に光を注いでいるから、ぼくらは物を見ることができるし、寒さで凍えることなく生活できる。多様な生物によって形成される生態系が発生し存続できるのも、この太陽の贈与のおかげだ。植物は光合成によって自活しているし、草食動物は植物を食べ、肉食動物は草食動物を食べるという食物連鎖が続くが、その原点には太陽の光がある。すべてを人工太陽でまかなえるという発想でもとらない限り、太陽は人間の生活にも生態系にも不可欠なものと言えるだろう。

この太陽の光線を贈与としてとらえたのが、フランスの思想家ジョルジュ・バタイユである。

> 太陽エネルギーは繁殖する生の発展の原理だというのがこの事実である。我々の富の源泉と本質は、太陽の光のなかに与えられている。太陽は、代わりに何かを得ることなく、ただ惜しみなくエネルギーを――つまり富を――供与している。太陽は何も受け取らずに与えているのだ。天体物理学者がこの絶え間ない浪費を測定する以前に人々はすでにこのことを感じとっていた。太陽が農作物を実らせるのを見て、人々は、太陽に属する栄光を、代償を得ずに与える人の行為に結びつけていた。
>
> ジョルジュ・バタイユ『呪われた部分――全般経済学試論・蕩尽』酒井健訳、ちくま学芸文庫、二〇一八年、四一―四二頁

太陽の贈与は、自然の恵みをもたらしてくれるだけではない。人々に見返りなく贈与することの大切さも教えてくれる。古代の人や未開の人は、何ら返礼もなく与える人の振る舞いを太陽に見ていた。彼らにとっていちばん価値が高かったのは、無償の贈与であった。このように、太陽を贈与する者とみなすことで、太陽への感謝の念が生じたのである。その結果、多くの神話で太陽が神とされた。エジプト神話のラー、メソポタミア神話のシャマシュ、ギリシア神話のアポロンなど枚挙に暇がないだろう。日本神話に登場する天照大神《あまてらすおおみかみ》もその一例と言える。太陽を神とすることで、人々は太陽の偉大さを讃えて感謝の念を示したのだ。

また、太陽が無償の贈与をおこなうから、気前よく与える人が社会的に評価されたのである。目先の利益にとらわれたり、取得したものを貯め込んだりすることは、軽蔑の対象であった。前にも述べたように北米先住民の儀礼のポトラッチでは、多くの富を気前よく与えた者が讃えられ部族のあいだで高い地位を得ることになった。古代の皇帝は各国・各地の王から献上品があると、それを上回る規模のお返しをして、その威光を示した。

また、古代ローマでは、災害に見舞われて村の橋が壊れ道路が寸断されたとき、その地域の貴族は私財を投げうって復旧の工事を請け負い、村民たちに貢献しなければならなかった。だから、貴族は感謝され尊敬されていたのである。これが受け継がれ「ノブレス・オブリージュ」（貴族の義務）と呼ばれるようになり、ヨーロッパの貴族の不文律となっている。太陽による無償の贈与の価値観はいろいろなかたちで受け継がれていったのだ。

しかも、貴族だけではない。前の章で紹介した、コロナ禍でのロンドン市民たちが人助けをして自分を贈与したこと、誰でも災害のときに人を助け、利益と関係なく自分を贈与するということにも、無償の贈与の発想が生きている。太陽の価値観はこういったところにも見い出せるだろう。

太陽に由来するハロウィンとクリスマス

この太陽の贈与がぼくらの生活に与える影響は、多くの事柄に及んでいる。例えば、ハロウィンとクリスマスも太陽の光と深い関係があるのだ。

両方の祭りともキリスト教のものとされているが、これらの祭りにはもっと深い意味がある（クロード・レヴィ＝ストロース『火あぶりにされたサンタクロース』中沢新一訳・解説、角川書店、二〇一六年を参照）。

ハロウィンはキリスト教以前の古代ケルトの信仰に由来しているし、クリスマスにも古代ローマのサトゥルヌス祭や太古の樹木崇拝などの要素が入り込んでいる。両方とも異教の面が強いのだ。しかも、それのみならず、ハロウィンやクリスマスには、もっと原始的な冬祭りの面がある。

それはどういうものだろうか。ハロウィンからクリスマスにかけて季節は冬に向かい、一年のなかで太陽の光がいちばん弱まる時期である。秋の収穫祭と重なるハロウィンは一〇月三一日で、クリスマスは冬至に近い一二月二五日である。日が短くなり夜が長くなるこの季節に、古代の人々は何を感じたのであろうか。今日のような電球もネオンもない。真っ暗な闇がどんどん長くなっていく。おまけに、気温も徐々に低くなり、冬の寒さが到来する。一年のうちでいちばん生命力が弱くなるのが感じられる季節である。人々は暗闇のなかで死を意識し、その影に脅える。古代の人たちはこの不安を死者の姿に仮託して表現したのだ。秋から冬にかけて夜が長いあいだは、死者が復活して人々の命を脅かす、と考えたのである。

異界から戻ってきた死者に対してどう振る舞うべきか。死者を丁重に取り扱わなければ、自分たちの命が危うい。だから、プレゼントなのだ。死者たちをもてなし贈り物を与えることで歓心を買わなければならない。

ハロウィンはわかりやすい。魔女などに扮した子供たちが家々をまわってお菓子などをねだるけれど、おねだりがかなわなかったときは、その家にいたずらをしていいことになっている。これは復活した死者たちが贈り物を要求し、この要求が受け入れられなかったら、その家に危害を加えていいということを意味している。ここにひとつの契約を読み取れるだろう。蘇った死者たちにプレゼントをするが、そのかわりに人々の命を守ってくれるという契約である。そこには贈与と保護の関係がある。

クリスマスも同じである。イヴの晩にサンタクロースが煙突を通って暖炉から家に入ってきて、ツリーに吊るされたソックスや子供たちの枕元にプレゼントを置いておいてくれる。しかし、実際には両親がプレゼントを贈っているのだ。これをどう読み解くべきか。レヴィ=ストロースの説明を借りれば、子供は異界の住人である死者の象徴であり、大人は生者であり、クリスマスのプレゼントも生者による死者の歓待と贈与を意味している。

一年のなかで太陽の光がいちばん弱まるとき、古代の人たちは生命の危機を敏感に察知し、死者を歓待しプレゼントを贈ることで身の安全をはかろうとしていた。ここに冬祭りの深い意味があるのだ。多くのプレゼントをもらい満足した死者たちは、年が明けたら異界へと帰っていく。それと同時に、次第に日が長くなり、生命の危機は回避される。人々はまた活力を取り戻すのだ。

太陽が与えてくれる恵みによって人間は生きることができる。その贈与は一年を通して多かったり少なかったりする。その結果、古代の人々は死者への歓待と保護という契約をおこない、自分の身を守っていたのだ。古代の人たちは現代のぼくら以上に贈与を基盤にして暮らしていたと言えるだろう。

ハロウィンとクリスマスの本当の意味は、太陽の日差しが弱まり生命の危機を感じたとき、古代の人々が異界の住人たちとおこなった贈与の儀式なのである。

　だから、これらの儀式を楽しむことによって、ぼくらは古代からの贈与の伝統に無意識のうちに参加しているのではないだろうか。贈与の精神はぼくらの心の奥底で受け継がれているのだ。

「いただきます」

　ここで「自然の恵み」について違った視点から考えてみよう。

　みなさんは食事のときにあいさつはするだろうか。ファミレスに入って見ていても、ひとりで食事を取る人で声に出して「いただきます」とか「ごちそうさま」と言っている人はまずいない。家族づれで小さな子供のいる場合は、両親と子供たちであいさつしているのを見かけることもある。たぶん家でも同じだろう。食事のあいさつは、家族団らんの象徴かもしれない。こういった食事のあいさつだけれど、学生に聞いてみると家庭と学校で教えられたそうだ。ぼくも子供のころ家庭で教えられ、幼稚園や小学校でみんな一斉に「いただきます」や「ごちそうさま」と言っていた記憶がある。

　ところで、食事のあいさつの意味はどういうものだろうか。これは基本的に感謝の表現だ。「いただきます」は料理を作ってくれた人への感謝、それから料理の材料を作ってくれた人への感謝である。ぼくも小さいころご飯を残したところ、お百姓さんが丹精込めて作ったものを粗末にするな、と親に叱られたことがある。それからもうひとつ、食材となっている植物や動物に対する感謝も、そこでは表現されている。その尊い命をいただいているからである。そして、「ごちそうさま」は、かつては料理を作りもてなす人が食材をそろえるのに手間がかかりあちこち走り回ったことから、その労に感謝して「ご馳走さま」と食後に言うようになったそうである。「いただきます」にしても、「ごちそうさま」にしても、すべて贈与に対する感謝の気持ちを表している。料理を与えてくれた者への感謝、料理の材料を与えてくれた者への感謝、食材となり命を与えてくれた植物や動物たちへの感謝、料理を与えるために奔走してくれた者への感謝が、そこには見られる。このように、単に人への感謝だけではなく、食材のため犠牲となっている自然の生き物への感謝もふくまれているのだ。

食前のあいさつは欧米にも見られる。キリスト教徒は食べる前に神に感謝の祈りを捧げる。自分たちが生きて食事ができることへの感謝である。そして、お祈りが終わったあと、「イート」とか「レッツ・イート」とか言って食べ始めるのだ。ただ、この祈りはあくまで神への感謝であり、料理を作ってくれた人や食材を作ってくれた人への感謝とは違う。ましてや、犠牲になった食材への感謝もそこには認められない。人間と動植物のあいだの境界をはっきりさせるキリスト教には、食材となって命を奪われる生き物たちへの感謝は基本的には存在しない。すべて神への感謝なのだ。この点で、日本のあいさつとは根本的に異なっている。

ただ、ひとつ注意しなければならないことがある。「いただきます」は一見すると古来の食事のあいさつと思われるかもしれないけれど、意外にその歴史は浅い。昭和になってからの習慣である。それまでは、あいさつなどしないで食事をするのが一般的だった。戦中・戦後の学校教育を通して、食事のあいさつも普及していったのではないだろうか。学校で子供たちが教わってきて、家庭でも普及した例もいくつも見られるからだ。

『暮らしのことば　新語源辞典』によれば、「いただきます」という言葉の起源には、「頭に載せる」の意味があった。身分の高い人から物をもらうとき、頭の上に捧げもつ動作をしたことに由来する。転じて、「もらうこと」や「飲食すること」のへりくだった表現として普及していった。「本来は、飲食物を与えてくれる人、あるいは神に対する感謝の念が込められていたものと考えられる」そうだ（山口佳紀編『暮らしのことば　新語源辞典』講談社、二〇〇八年、八〇頁）。

民俗学者の柳田國男も戦争中に「いただきます」のあいさつが普及していることについて言及しており、そのルーツを探っている。その起源は、今紹介した辞典に書かれているものと変わらない（というより、辞典のほうが柳田の説に従っているといったほうがいい）。しかし、そこからわかることは、それまではぼくらが知っている意味がこの言葉に込められていたわけではなかったということと、食事のときに口に出してこういうあいさつをする習慣もなかったということだ（柳田國男「毎日の言葉」『全集』一九巻、ちくま文庫、一九九〇年、四三五―四三六頁）。ただ、あとから込められていった感謝の意味にぼくらが納得してしまうのは、どうしてであろうか。

そうなるのは、ぼくらの心性のなかにアニミズム的なものが宿っているからではないだろうか。料理を作った人、食材を作った人への感謝にとどまらず、食材となった植物や動物への感謝は、日本人のなかにあるアニミズムの伝統に連なるから、ぼくらの心の琴線に触れるのではないだろうか。

草木塔

動植物の命を奪うことにいかにぼくら日本人が敏感であったかを示す例を、ふたつあげておこう。

まずは草木塔《そうもくとう》。草木塔とは何だろうか。

俳句好きな人なら、放浪の俳人、種田山頭火《たねださんとうか》の句集が『草木塔』というタイトルであることを思い浮かべるかもしれない。「分け入っても　分け入っても　青い山」のような素晴らしい句をいくつも残したこの俳人は放浪の旅を続けながら自然の草木を愛していた。彼の俳句は草木を供養するものだったのである。

草木塔とは、伐採された草や木を供養するために建てられた記念碑のことである。江戸時代の中期に、米沢で大規模な火事があり、町を再建するために大量の木材が必要となった。そのため多くの木が伐採された。そのとき建てられた供養塔が、草木塔のはじまりとされている。この供養塔が流布して全国に広がっていったのである。日本の家屋は長いあいだ木造だったから、どうしても材木を必要とした。樵《きこり》と呼ばれる人たちは、山で木を切ることを生業にしていたが、自分たちが生活していくために、木々の生命を奪うことに罪悪感を覚えていた。彼らにとっては、木々にも魂が宿っているのだ。その罪の償いのために草木塔を建てて、自分たちがその命をいただいた木々を供養し感謝したのである。

仏教の教えに、「草木国土悉皆成仏《そうもくこくどしっかいじょうぶつ》」というものがある。これは、草木や国土のような心のない存在にも仏性が宿っているという意味である。この考えは日本独特の仏教のあり方を表している。そもそもインド仏教の本来の思想は、「心のある存在」と「心のない存在」をはっきり分ける。前者は人間や動物であり感情をもっている。頭をぶたれたら痛いと感じる。後者は植物や石ころなど心をもっていないものである。ぶたれても痛いとは感じない（とされている）。だから、仏性が宿るのは「心のある存在」だけなのである。僧侶が菜食主義であったのは、この理由からである。ところが、日本の仏教では、仏性の宿る存在の範囲が拡大されていき、あらゆるものがその対象となってしまった。その結果、草や木にも山や川にも魂があることになる。仏になれるのである。

そうであるから、自分たちの生活のためとはいえ、草木の大切な命を奪うということは、罪深いことなのだ。命を与えてくれたことに感謝しなければならないし、その魂を弔《とむら》わなければならない。「自然の恵み」への感謝には罪悪感がともなわれている。

動物のほうはどうだろう。愛玩動物の供養の話はよく聞く。ペットとして飼い始めた動物が、自分にとってかけがえのないコンパニオン・アニマル（伴侶動物）になることもよくある。家族の一員としての動物や人生の伴侶としての動物が死んだら、人間に対するのと同じくらい悲しいし、葬式をしたりお墓を作ったりする。しかし、こういった愛玩動物でなくても、動物の供養はおこなわれている。屠畜場では、食肉のために犠牲になった牛や豚を供養しているし、動物実験をする大学や研究所では、その命を奪った動物のために慰霊祭がおこなわれている。なぜこういう儀式をするかと言えば、命を与えてくれた動物たちへの感謝の気持ちからという理由とともに、殺された動物たちの祟りを恐れるという理由もあげられるだろう。ただそれも、日本人の心性のなかで人間と動物の魂の連続性が前提になっているからだと言える。

こういったかたちでの供養は日本独特のものだ。もちろん欧米には動物愛護の精神があり、一九世紀のイギリス以来、動物保護の法律も作られている。動物福祉に関する法律では、日本よりイギリスやドイツのほうが進んでいるとも言われている。また、ＮＰＯ法人も活動家もたくさん存在している。動物の肉を食べないベジタリアンやヴィーガンの伝統もある。「動物の解放」や「動物の権利」を主張する哲学者たちもいる。しかし、彼らが動物を保護するのは、動物には感情と知性があり、それが人間に近いからである。その結果、動物には人間同様に「生きる権利」があるのだ。しかしその反面、知性と感情において人間から遠い存在である植物は、食材として用いられてかまわないのだ。これは、あらゆる存在には仏性が宿るという日本化した仏教の考えとは、根本的に異なる。

鯨供養

日本の伝統的な動物供養で有名なものに、鯨供養がある。捕鯨は縄文時代から日本でおこなわれていたが、飛躍的に発展したのは江戸時代である。「網取り」という捕鯨技術の革新の結果、鯨はそれまでよりはるかに多く捕獲できるようになったのだ。いくつかの藩には、鯨組という専門集団があった。紀州、長州、平戸藩などが名高い。鯨は神からの贈り物とされ、食肉や油をはじめ肥料や香料などさまざまな用途に余すことなく使われた。「鯨一頭七浦賑わう」と言われたように、鯨は漁師たちに多大な経済的な恩恵をもたらしたのだ。鯨組は藩のおかかえであり、捕鯨は藩の重要な財源となった。しかし漁師たちは、自分たちの生業のために、鯨の命をいただいたことには罪悪を感じるし、生活の糧になってくれたことには感謝もしていた。彼らは鯨墓や鯨塚を作って遺骸を埋葬したり、供養塔を建てたりした。鯨の位牌や過去帳を作り保存している寺もあった。

詩人の金子みすゞが生まれた山口県長門市の先崎一帯も捕鯨の拠点だった。彼女は「鯨法会」という詩を読んでいる。

鯨《くじら》法会《ほうえ》は春のくれ、
海に飛魚採れるころ。

浜のお寺で鳴る鐘が、
ゆれて水面《みのも》をわたるとき、

村の漁夫《りょうし》が羽織着て、
浜のお寺へいそぐとき、

沖で鯨の子がひとり、
その鳴る鐘をききながら、

死んだ父さま、母さまを、
こいし、こいしと泣いてます。

海のおもてを、鐘の音は、
海のどこまで、ひびくやら。

『金子みすゞ童謡集』角川春樹事務所、一九九八年、二一六―二一七頁

多くの人が鯨の子の悲しさに共感するだろう。毎年春の暮れに鯨の法要がおこなわれるのは、犠牲になった鯨への感謝からであり、その命をいただいたことへの償いからなのだ。自然の贈与に対する日本人の感覚には、感謝と罪悪感のふたつが混在しているのである。

3　宮沢賢治と自然

「よだか」の苦悩

自然の恵みに感謝するとともに、肉食について悩んだ作家に宮沢賢治がいる。彼は草木塔や鯨供養の精神を引き継いでいる者だと言えるだろう。

実際、彼の書く童話のいくつものなかで、肉食や殺生《せっしょう》への批判が描かれている。そのなかでも有名なのが「よだかの星」である。

よだかは容姿の醜い鳥である。その醜さからほかの鳥から嫌われていた。ある日、鷹《たか》がやって来て、自分と似た名前をつけているのはけしからんから、市蔵と名前を変えろ、そうでないと殺すと言ってきた。よだかがそのことで悲嘆にくれていると、羽虫や甲虫が自分の口のなかに入ってきて、それらを飲み込んでしまった。そのことに気づき、彼は声をあげて泣き出した。

よだかは心のなかでこう叫ぶ。

ああ、かぶとむしや、たくさんの羽虫が、毎晩僕に殺される。そしてそのただ一つの僕がこんどは鷹に殺される。それがこんなにつらいのだ。ああ、つらい、つらい。僕はもう虫をたべないで餓えて死のう。いやその前にもう鷹が僕を殺すだろう。いや、その前に、僕は遠くの遠くの空の向うに行ってしまおう。

宮沢賢治「よだかの星」『新編　銀河鉄道の夜』新潮文庫、二〇一二年、三九―四〇頁

よだかは、生きるために多くの虫たちを食べてきたことに愕然《がくぜん》としたのだ。彼はこの世界に苦悩して、夜空をまっすぐ上へ上へと向かっていき、その体はついに燃え出し、燐《りん》の光のような美しい青い光となった。その星は未だ夜空に輝いている。

蝎の願い

この話は、罪を犯した者が悔い改めて夜の星になるという点で、『銀河鉄道の夜』のなかの「やけ死んだ蝎《さそり》の火」のエピソードと類似している。

主人公のジョバンニと友人のカムパネルラは、乗車した「銀河鉄道」のなかで一緒になった「女の子」から「蝎の火」の話を聞かせてもらった。

蝎は小さな虫などを殺して食べていたが、いたちに見つかって自分が食べられそうになる。懸命に逃げたが捕まりそうになったとき、井戸に落ちて這い上がれなくなり溺れはじ

めた。そのとき、自分のやってきたことを反省しはじめる。自分は多くの命を奪ってきたが、いたちに命を奪われそうになると逃げてしまった。いたちに体をくれてやったら、いたちも一日生きのびることができたのに、と。そして、蠍は神に祈る。「どうか神さま。私の心をごらん下さい。こんなにむなしく命をすてずどうかこの次にはまことのみんなの幸《さいわい》のために私のからだをおつかい下さい」（『銀河鉄道の夜』二五〇頁）。そうすると「蠍はじぶんのからだがまっ赤なうつくしい火になって燃えてよるのやみを照らしているのを見た」のだ。そして、「いまでも燃え」（同書、二五〇頁）続けているのである。

神さまは蠍の願いをかなえて、美しく輝く星にした。蠍は夜空で燃え続けて、闇夜を照らしている。そのことで、多くの人が夜道を歩くことができる。蠍は「みんなの幸」のために働いているのだ。星になったよだかも同じだろう。夜空で光を放ち、多くの人が暗闇から救われているのだろう。そして、闇を照らすことこそ、光の贈与なのだ。ここに賢治がいかに贈与を重視しているかがわかるだろう。焼身のよだかや蠍は、ほかの星と同じように、自然の側の存在になり、ぼくらに光を贈与して夜道を照らしてくれている。生き物を食べる罪深い存在は、自己犠牲を通して、恵みを与える存在へと昇華する。そして彼らは、太陽のように純粋に贈与している。賢治にとって理想の存在は、純粋に無償の贈与をする者なのだ。生きていくためには、ほかの生き物を犠牲にしなければならない。これはぼくらの置かれている日常である。誰もがとんかつやステーキを当たり前のように食べているが、よく考えれば、ぼくらは動物たちの命をいただいて生きているのだ。たいていの人は、そういう事実に立ち止まって考えることもなく暮らしているが、賢治のようなデリケートな人はその事実にたまらなく罪悪感を覚えるのだ。ある時期から、彼はベジタリアンになった。しかし、野菜を食べることも命を奪うことに変わりはない。

賢治にとって理想の食べ物は、肉でも野菜でもない。風や光なのだ。『注文の多い料理店』の序で、彼はこう語っている。「わたしたちは、氷砂糖をほしいくらいもたないでも、きれいにすきとおった風をたべ、桃いろのうつくしい朝の日光をのむことができます」（『注文の多い料理店（序）』『注文の多い料理店』新潮文庫、二〇一一年、九頁）。

風や日光を食べても、何も傷つけないし、何も殺しはしない。賢治はこれを「きれいなたべもの」（同書、九頁）と呼んでいる。しかも、これは自然が与えてくれた食べものなのだ。もちろん、人間は風や光だけを食べて生きていくわけにはいかない。しかし、この「きれいなたべもの」は、心の糧として彼の創作に生かされているのである。

これらのわたくしのおはなしは、みんな林や野はらや鉄道線路やらで、虹や月あかりからもらってきたのです。

ほんとうに、かしわばやしの青い夕方を、ひとりで通りかかったり、十一月の山の風のなかに、ふるえながら立ったりしますと、もうどうしてもこんな気がしてしかたないのです。ほんとうにもう、どうしてもこんなことがあるようでしかたないということを、わたくしはそのとおり書いたまでです。

「注文の多い料理店（序）」『注文の多い料理店』九頁

彼の作品は「虹や月明り」が贈与したものから成っている。そのいただきものを、そのまま彼は書いた。自然の恵みが彼を通して綴られているのである。そして、自然から与えられたものが、読者の「ほんとうのたべもの」（同書、一〇頁）になることを、彼は願っている。たぶんこのたべものは、星となったよだかや蝎が与える光と同じだろう。自然が与えてくれる「ほんとう」の恵みなのだ。自然が賢治に「きれいなたべもの」を与えてくれて、この「たべもの」をそのまま彼は読者に与えるのだ。

自然は、ぼくらの心の糧になる「ほんとうのたべもの」を与えてくれるものなのである。

狼森と笊森、盗森

それでは、自然の贈与に対してぼくらはどう接すればいいのだろうか。食物連鎖の原罪を断ち切り、夜空の星になったよだかや蝎のようになることなど、ぼくらはとうていできない。また、賢治のように自然から与えられたものを作品としてそのまま人に贈与することもむつかしい。そういうぼくらが自然と接するときに参考になるのが、『注文の多い料理店』のなかの「狼森《オイノもり》と笊森《ざるもり》、盗森《ぬすともり》」である。この作品は人間と自然との原初的な関係について語っている。

物語のあらすじは次のようになる。

岩木山のふもとにある小岩井農場の北側に狼森、笊森、黒坂森《くるさかのもり》、盗森という四つの森があった。これらの森に囲まれた野原に、ある日四人の男がやって来た。彼らはこの野原を気に入り妻と子供たちを呼び寄せた。そして森に、畑を耕し家を建て火を焚き木をもらってもいいかと聞き、森がいいと言うと、彼らはそこに小屋を作り生活を始めた。冬のあいだ森は彼らが暮らしやすいように北風を防いでくれた。

春になると小屋はふたつに増え、春に種を播《ま》いたそばとひえは秋に順調に収穫された。新しい畑もでき、小屋もさらにひとつ増えた。

ところがある冬の朝、子供が四人行方がわからなくなった。男たちが狼森に入っていくと、火のまわりで狼たちが踊っていて、子供たちはそれを眺めていた。男たちが子供たちを連れ返そうとしたとき、狼が栗《くり》や茸《きのこ》を子供たちにたくさんご馳走したと言うので、うちに帰ったあとお礼に粟餅《あわもち》をこしらえてお返しをした。

春になって子供も増え、馬も二匹やってきて、秋には実も多く取れたので、みんな大喜びだった。

ところが、冬になるとまた奇妙なことが起きた。農具が見当たらないのだ。狼森に聞いても知らないと言うので、今度は男たちが笊森に行った。そうすると、古い柏《かしわ》の木の下に大きな笊が置いてあり、それを開けてみると農具が見つかった。笊の真ん中には山男がいて、バアとおどけて言った。男たちはいたずらをやめるように言い、農具をもって森を出ようとしたら、山男は粟餅がほしいと言った。男たちは笑いながら帰宅して、粟餅を作り狼森と笊森にもっていってあげた。

次の年の夏は、畑が野原じゅうに広がり、木の小屋や大きな納屋もできた。馬も三匹になった。その年の秋の収穫でも、みんな大喜びだった。

その年も冬の朝、不思議なことが起こった。粟がなくなってしまったのだ。

狼森も笊森も知らないと言うので、男たちが黒坂森に行くと、さらに北に行ったらわかると教えられ、盗森に行った。粟を返すように迫ったら、真っ黒な手の長い大きな男が出てきて、自分を盗人《ぬすっと》呼ばわりするのはけしからん、黒坂森の言うことなどあてにならない、と怒った。そのとき、岩木山が仲裁に入り、盗森が盗んだということを認めさせ、粟は返させると男たちに約束した。盗森は自分で粟餅を作ってみたくなったそうである。

家に帰ると、粟はちゃんと戻ってきていたので、四つの森に粟餅をもっていった。それからは、森とみんなは友達になり、毎年冬の初めに粟餅をもっていくようになった（「狼森と笊森、盗森」『注文の多い料理店』前掲、二七―四〇頁）。

ざっとまとめるとこんなストーリーだ。ここに人間と自然がともに生きていく根本が描かれているのではないだろうか。

森が許可してくれたので、開拓者たちは畑を耕したり、家を建てたり、火を焚いたり、木をもらうことができた。そのうえ森は彼らを冬の北風からも守ってくれた。そのおかげで、毎年、彼らは素晴らしい収穫を上げていったのだ。それなのに、その後は森とは付き合ってはいなかった。森への感謝を忘れていたのである。

ぼくは賢治のこの作品を読んで、ハロウィンのときに魔女に扮した子供にお菓子をあげなければ、子供はいたずらをしていいという決まりを思い浮かべた。子供が扮する異界の住人たちはもてなされるかわりに人々を保護してくれるのだ。そこには歓待と保護の関係がある。狼森、笊森、盗森は、いろいろな許可を与えて守ってあげたのに、人間たちが知らんぷりという態度を変更するように求めたのではないだろうか。森が贈与してくれたことに、人は感謝というかたちで応えなければならない。その証しが、森にお供えする粟餅なのだ。ここに森と人とのあいだの友情が生まれるのである。

賢治が描きたかったのは、贈与を通して生まれる自然と人間のあいだの精神的な交流ではないだろうか。つまり、贈与と感謝の関係である。

自然を人間にサービスしてくれるものとか生産活動の材料としてとらえることももちろん可能だろう。それによって、自然を科学的に分析できるし、経済活動の一貫に組み入れることもできるだろう。しかも今までと違い、自然を破壊したり搾取するのではなく、保護するかたちで科学の対象にしたり、経済活動の対象にしたりすることも可能だろう。生態系サービスや自然資本の考えは、まさにそれを表している。ぼくはそのメリットを否定はしない。科学や経済を抜きにしては自然を保護できないからだ。

しかし、自然を贈与するものとしてとらえるとき、太陽の贈与の賛美、食事のあいさつ「いただきます」、草木塔や鯨供養、宮沢賢治の作品の登場人物たちが示すように、自然への感謝の気持ちがともなうのではないだろうか。自然が贈与してくれたものを「いただき」感謝することで、自然と友達の関係になるのだろう。これは自然の贈与を考えるときに、今のぼくらが失ってはいけない視点である。

エピローグ

プロローグで発した問いにこの本は答えることができただろうか。

経済的な格差の世界的な規模での拡大。無縁化による人間の孤立。戦争、紛争、テロの頻発。さらに、感染症の脅威、多くの生物種が絶滅していく生態系の劣化、猛暑や集中豪雨で実感される気候変動など——混沌としたこういった状況において、人と人との関係、人と自然との関係をもう一度考え直していくのが、この本の目的であった。そのために贈与を取り上げたのだが、その理由は三つある。

① 贈与は、単にモノを受け渡すことだけではない。それを通して、人と人のあいだに、さらには人とモノのあいだに精神的な交流があるということ。

② 現在のような、貨幣による経済がおこなわれる以前は、贈与による経済が存在していた。その意味で、贈与は経済の原点にあるということ。

③ 贈与は「自然の恵み」というかたちで人間と自然の関係も表現しているということ。

要するに、贈与の視点から、人間どうしの関係、それから人間と自然との関係を問い直してみたらどうかというのが、この本の提案なのである。

復習

この本で展開した内容をごく簡単にふり返ってみよう。

第1章と第2章は、贈与について基本的なことを述べた。

第1章「贈与をめぐる日常——プレゼントはなぜうれしいのか」では、ぼくらの身の回りの贈与を、お返し、記念日、権力、毒などのテーマに沿って述べた。ここで取りあつかった贈与は、主にプレゼントとしての贈与である。

第2章「与えられているもの——贈与と他者」では、ぼくらが学校、国、社会などから与えられているものについて考えてみた。校則、法律、言語の規則、結婚の制度のように、ぼくらが贈与として意識しないで受け入れているものである。それは情報やデータと呼ばれるものにまで及んでいる。

第3章、第4章、第5章は、基本的な贈与の知識をふまえたうえでの応用編である。

第3章「贈与の慣習——贈与と資本主義I」は、贈与の慣習が村社会的なものと結びついており、それが資本主義によって周辺へと追いやられ、経済的格差と無縁が生じていることを論じた。

第4章「新しい贈与のかたち――贈与と資本主義Ⅱ」では、社会保険、ギフト・エコノミー、ボランティアを取り上げ、新しい贈与のかたちを模索し、資本主義をどう変えていったらいいのかを考えてみた。

第5章「自然の贈与――感謝するということ」では、気候変動などの自然の脅威に対して、「自然の恵み」というかたちでの贈与を取り上げ、太陽の贈与を論じるとともに、食事のあいさつ、草木塔、鯨供養、宮沢賢治の童話作品に見られる人間と自然のあいだの精神的交流について語った。

三つの主張

これをふまえて、ぼくは三つのことをとくに主張したい。

(一) 資本主義を「変質」させていくこと

今のぼくらは資本主義のなかにどっぷりつかっている。その恩恵を受けてすらいる。だから資本主義の非人間的な面が目立つからといって、急激な革命を起こして社会主義や共産主義を実現しようとしても、混乱が生じるだけである。歴史がそのことを実証している。ましてや原始的な贈与経済に戻ることなどとうてい不可能である。ただ、資本主義が利益と効率を求める限り、それを野放しにすると、人と人のきずなや人と自然のきずなを壊していく。また、経済的な格差を生み、人を社会的に孤立させ、自然を破壊していく。マルセル・モースが言う「エコノミック・アニマル」とは、こういった状態に陥った社会の人間の姿ではないだろうか。

こういうあり方に疑問を感じて、すでに多くの人が新しいかたちで贈与の実践をしている。ダイバーシティに寛容であろうとしている今の時代が、それを許している。

カルマ・キッチンのようにペイ・フォワードの仕組みを利用したレストランができたり、農作物を消費者に与えて「こころざし」を受け取る「お礼制」の試みがあったり、ギフト・エコノミーはいろいろと実践されている。また、要らないものを与え合うシェアリングの運動も今さかんである。いずれも既成の資本主義の枠にとらわれない活動である。

また、贈与の論理によって運用される臓器移植は、商業的な交換とは異なる場に位置づけられるし、社会保険の制度は、モースの説明するように、商業的な交換ではなく、贈与交換を基盤に置いている。ここでも資本主義とは異なる贈与の論理が働いている。

こういった試みが少しずつなされていくのは、利益と効率に終始する資本主義の行き過ぎへの疑問がぼくらの心のなかで共有されているからである。

ただ、それだけでなく、資本主義をその内部から変えていく考えも必要だ。その点で、商業的交換のなかに贈与の要素を取り入れたり、この交換を贈与を出発点にして解釈し直そうとしたりするクルミドコーヒーの試みはとても大切だとぼくは思う。企業のなかで働いていると利益を上げることにどうしても目がいってしまうが、そのなかに贈与の要素を取り入れ、贈与と利益を両立させ、商業的交換と精神的交流とを両立させることが、今求められているのではないだろうか。贈与と言っても必ずしも純粋なかたちで贈与を追求する必要はない。商業的交換の論理のなかに贈与の論理を組み込んでいき、それを「変質」させていくことが大事なのだ。

自然との関係について言えば、自然を収奪してきた資本主義は見直されてきて、近年、生態系の重要性が一般的に認識されはじめている。自然からの贈与を、生態系サービスや自然資本の名の下で保護するようになってきたのだ。これもひとつの成果である。しかし、ぼくとしては、草木塔や鯨供養などがもっていた日本人の伝統的なアニミズムの心性にまでいたるべきだと思う。そこに、自然と人間のあいだの贈与と感謝という精神のきずなが生まれるからである。

（2）根本的な共同性

贈与は、モノの受け渡しや自己贈与を通して、人と人を結ぶものであった。ボランティアについて考察したように、生命が危険となるような災害が生じるとき、人は自分が安全だとわかっていれば、自分の持ち物や自分を贈与して他人を助けようとする。災害のとき、義援金が集まり、ボランティアが集まる理由がそこにある。贈与を通してのこういったつながりは、掘り下げていくと、人間のいちばん根本的な共同性を表しているのではないだろうか。

というのも、こういうとき、人種、階級、職種、主義主張といった違いを越えて、人はつながるからである。これは、個々人がもっているアイデンティティをすべて捨て去ったところで生じる共同性である。ニューヨークの9・11の事件の直後やロンドンのコロナ禍で見られた、人と人とのつながりは、まさにこれなのだ。平時では、ぼくらは肩書、性、国籍、肌の色などのアイデンティティにとらわれながら他人と接している。だから、ふだんはこういったつながりは忘れられており、無意識の底に押し込められている。しかし、決して失われているわけではない。誰もが心の奥にかかえているのだ。それが、災害のときなどに呼び起こされるわけである。

アイデンティティというものは、ぼくは広い意味で所有物だと思う。職種や地位のように後から獲得されたものもあれば、性や肌の色など生まれながらにしてほぼ「所有」しているものもある。ぼくらは誰でもいくばくかの富や財産を所有しているが、それのみならずこういったアイデンティティも所有しているのだ。それ以外にも、何人かあるいは多くの人が共同で所有している共有財産があるように、主義主張などは賛同する人たちに「共有」されている。主義主張によるアイデンティティも「共有物」として所有されているのだ。

災害のときに見い出される共同性は、こういった所有物を介してのつながりではない。肩書や地位によって関係をもつつながりでもなければ、主義の共有によるつながりでもない。何も関係をもたなくても何も共有しなくてもつながってしまう何かなのだ。

しかもこれは、人間だけの特権ではない。クロポトキンは『相互扶助論』のなかで、動物から人間までお互いに助け合う習性があると論じている。動物も人間もこの点では同じで、お互いに贈与し合い助け合うのだ。贈与による根本的なつながりは、人間中心的なものではなく、人間と動物のあいだにはっきりとした境界線を引くことはできないのだ。

ぼくらが共同体について今後考えていくのならば、贈与の根底に見い出されるこの共同性に基づく必要があるのではないだろうか。ぼくは資本主義も共産主義も全面的に否定はしない。しかし、無縁の状態を生み出してきた現状の資本主義にとどまっていても、あるいは共有財産による物質的な平等に甘んじる共産主義の発想を固持していても、こういった共同性は見えてこないだろう。もう一段深いところで共同性を考えていかなければならないのだ。

（3）人とモノの交流

贈与にはモノと人の精神的な交流という面がある。例えば、それは「自然の恵み」である。自然が贈与してくれるので人はそれに感謝しなければならないという発想である。これは人と自然との精神的な交流である。特に日本の伝統にはアニミズムの心性があり、山や川にも魂が宿ると考えられてきた。動物、植物から石ころに至るまで仏性をもつというわけである。だから、山で伐採した木々の霊を弔うために草木塔を建てたり、捕鯨の盛んな地方では、同じ理由から鯨寺や鯨神社が建てられたりした。そこには、大切な命をいただいたことへの罪悪感と感謝の気持ちという複雑な感情が反映されている。宮沢賢治の童話には、こういった感情を通して自然との交流がいくつも表現されている。

もちろん、こういった精神的な交流は科学的な思考からはほど遠い。かつてレヴィ＝ストロースは、モースが『贈与論』でマオリ族の贈与の分析において物の霊を表すハウという現地の言葉をそのまま使っていることを非難していた。ハウの活動を交換のシステムとして科学的に読み解かなければならないというわけだ。またぼくが繰り返し語ってきた「自然の恵み」にしても、生物学の分野では生態系サービスとされ、経済学の領域では自然資本とされており、こういった科学的な分析からは交流の世界は完全に切り捨てられている。このような交流は、むしろ神話、宗教、文学、芸術などの世界で表現されている。ただ、科学的思考がそれを遠ざけようとしても交流についての表現がなくならないのは、ぼくらがなおも自然との精神的な交流を求めているからではないだろうか。

精神的な交流の対象は、自然だけではない。人間の作った道具にも同じような交流が見つけられる。

八月三日は「はさみの日」である。八（は）と三（み）のごろ合わせだ。東京の増上寺に「聖鋏観音」が建てられ、美容・理容・洋裁の関係者などが集まって不要になったはさみを供養するのだ。同じように、一〇月一日は「めがねの日」であり、各地で要らなくなっためがねの供養がおこなわれている。東京では上野公園の辨天堂でおこなわれる。業界団体が主催するこういった供養会は決して歴史の古いものではないが、日本人の伝統にあるアニミズムの心性はここでも受け継がれている。

昔話では、道具が長いあいだ使われていると妖怪や精霊になると言われている。これを付《つく》喪神《もがみ》と言う。道具への愛着や感情移入が、こういう神を生み出していったのだ。

今の時代にも、付喪神が小説やゲームの重要なテーマになったりしている。

アニメ化された、畠中恵の小説『つくもがみ貸します』は、江戸時代の古道具の損料屋（レンタルショップ）が舞台になっており、貸し出す道具のなかに付喪神が混じっているという設定である。付喪神たちが貸出先で聞いてくる話をもとに、主人公の姉弟が騒動を解決するというストーリーだ。

また、ゲームから火がつき、アニメ、映画、ミュージカルにもなった『刀剣乱舞』では、日本の名刀をイケメン戦士として擬人化しているが、これが刀の付喪神だという設定である。ゲームのプレイヤーたちは名刀の付喪神たちを集め組織して戦うのだ。

これらの付喪神は、道具と人間のあいだの精神的な交流を表現しているのではないのか。贈与はモノと人のあいだのつながりを作ってくれる。モノは自然だけでなく、人間が生み出した道具の場合もあるのだ。

贈与のこれから——モースを超えて

贈与を追求していくと、社会のあり方を変えることにつながる。

農耕社会から現代の資本主義に至るまで、人は富の蓄積を当然のものとしてきた。それに対して、贈与は富を消費することであり、自分の所有物でなくすることである。贈与をその本性から考えていくと、富を放棄して他人に譲り渡すことにほかならない。贈与は富の所有や蓄積にとって、危険なものになる可能性を秘めたものなのである。

未開社会の贈与の慣習を研究したモースは、贈与にはお返しの義務があるという、富の交換の法則を主張した。こういった社会では、蓄積した富を交換することで流通させているのだ。これは「放棄」や「譲渡」としての贈与が交換という役割を果たすことで、富の蓄積と流通に貢献することになっている。もちろんモースは、贈与のもつ危ない面に気づいており、この本でも言及したように贈与の毒としての面についても語っている。しかし彼は、贈与はどういう場合でも純粋な消費にはならないで何らかの利得と結びついている、と考えていた。

そこで、ぼくが提案したいのは、農耕以前の「狩猟・採集」時代、つまり富の蓄積がはじまる前の時代にまでさかのぼって、贈与について考えてみることである。自然の恵みとしての贈与、人間がその一部である自然の循環、狩猟で獲得したものを分配するという贈与が、そこには見い出されるだろう。お返しを求めたりしないし富の蓄積にも貢献しない贈与の姿が認められると思う。こういった贈与は、その後の時代に贈与交換、さらには商業的交換に取って代わられたが、抑圧されながらもぼくらの思考の奥底で継承されているものである。

誤解がないように言っておくが、ぼくの提案は「狩猟・採集」時代に戻ることではない。今の時代の諸々の知に太古の知恵を接続することにほかならない。

半ば無意識に眠る贈与を明るみに出して現代社会に活かすことで、資本主義を問い直し「変質」させることができるのではないだろうか。そうすることで、人間の根本的な共同性に基づく共同体、人間とモノとの交流も徐々に実現できるのではないか、とぼくは期待している。

ブックガイド

【初級】本書を読み終えた人にまずは読んでもらいたい本

ナタリー・サルトゥ＝ラジュ『借りの哲学』高野優監訳・小林重裕訳、太田出版、二〇一四年

人から何かを贈与されたら、その人に対して〈借り〉の感情が生まれてしまう。だから、「返す」義務が生じる。サルトゥ＝ラジュはこの〈借り〉をポジティブに考えていこうと呼びかける。人は親に対して育ててもらったという〈借り〉がある。親に〈借り〉を「返せ」ればいいのだが、「返せ」ないときは、自分の子に「返せ」ばいい。子がいないときは、別の人や社会に「返せ」ばいい。〈借り〉はポジティブな行動の原動力なのだ。

中沢新一『日本の大転換』集英社新書、二〇一一年

原子力の背景には一神教の伝統がある。石炭や石油と違い生態圏の外にある原子核の内部からエネルギーを取り出すことは、これまた生態圏を超越するユダヤ＝キリスト教の神と共通している。中沢は3・11の震災と原発事故から、生態圏に留まることの重要さに着目し、これを支えるのが太陽の贈与であることを力説する。そして、太陽によるエネルギーの贈与を利用して、太陽光発電やバイオマス発電といった自然エネルギーへの転換を説いている。生態圏と親和的な日本の多神教アニミズムの風土がそれを可能にしてくれるのだ。

平川克美『株式会社の世界史——「病理」と「戦争」の500年』東洋経済新報社、二〇二〇年

この本の第一部はヨーロッパで誕生した株式会社の歴史を、第二部では株式会社に必然的な病の構造について述べている。グローバル資本主義のもとでの日本の株式会社では、短期的利益を求める株主の要求に屈して、経営側は大幅なコストカットや粉飾決算のような不正までも行ってきた。投資家たちの利益のために、日本の会社がそれまでもっていた疑似家族的な性格や友愛や贈与の人間関係が失われていったことを、平川は批判的に論じている。

岩野卓司『贈与論——資本主義を突き抜けるための哲学』青土社、二〇一九年

フランスの人類学者や思想家たちによる贈与の思想を脱資本主義を意識しながら論じたもの。モース、レヴィ＝ストロース、バタイユ、ヴェイユ、デリダ、マリオンが取り扱われている。論述は平易なのでフランス思想についての予備知識なく読み進められる。終章では、動物による贈与などの例を挙げながら贈与の人間中心の解釈を批判し、生、死、種の保存のような生物の根本における返礼なき贈与の重要性について語り、岩野自身の意見を展開している。

【中級】もう一段深く、贈与について考えてみたい人にお勧め

マルセル・モース『贈与論　他二篇』森山工訳、岩波文庫、二〇一四年

贈与についての人類学の古典的な名著。モースはオセアニアや北アメリカの未開社会、ローマ、ヒンドゥー、ゲルマンなどの古代社会についての文献を渉猟しながら、贈与にはお返しの義務があり、この義務の規則がどういうものであるかを探求している。この規則は、これらの社会では法、道徳、宗教、経済の分野にまたがって存在しているのだ。最終章では、未開人や古代人の贈与の知恵を参考にしながら、経済や功利性ばかり重んじる現代社会の変革を訴えている。

ジョルジュ・バタイユ『呪われた部分——全般経済学試論・蕩尽』酒井健訳、ちくま学芸文庫、二〇一八年

需要と供給を重視する従来の経済学に抗して、バタイユは過剰から出発する全般経済学を唱える。太陽から地球への光の贈与があり、地表はつねにエネルギーが過剰なのだ。そのため、このエネルギーをどう消費するかが問題になる。彼は蕩尽の理論を提案し、その視点からアステカの供犠やチベットの宗教社会の巨大な消費を評価し、財産の蓄積を目的とするブルジョア社会やソ連の経済を批判している。米ソ冷戦下のマーシャル・プランは戦争ではなく贈与の消費による平和的解決として高く評価されている。

折口信夫『古代研究Ⅴ　国文学篇Ⅰ』角川ソフィア文庫、二〇一七年

国文学、民俗学、神学に大きな足跡を残した折口は、若い頃三重県の大王崎で海のかなたに魂の故郷があることを確信した。これが後に彼が「常世」と名付けるあの世である。この「常世」から「まれびと」と呼ばれる神が村々に客人としてやってきて、村人たちに幸せを贈与してくれるのだ。この本のなかの「国文学の発生（第三稿）」、それと「古代生活の研究——常世の国」（『古代研究Ⅰ　民俗学編』所収）のなかでは、古代人の生活と「まれびと」と「常世」が密接な関係にあることが説明されている。

デヴィッド・グレーバー『負債論――貨幣と暴力の5000年』酒井隆史監訳、高祖岩三郎・佐々木夏子訳、以文社、二〇一六年

貨幣の出現とともに始まった負債は、メソポタミアから現代まで搾取や暴力の温床となってきたが、今日では資本主義に不可欠なものとなっている。しかしグレーバーは、人間関係の根本には互酬的ではない贈与の原理があると主張する。工場の作業で同僚にそこのスパナをとってくれと言われたら、そのかわり何かよこせと言うだろうか。これは、災害時に溺れた子を救助するときにも見い出される。等価交換に立脚し数量化された負債は、こういった自由な人間関係を腐敗させてしまっているのだ。

【上級】　かなり難しいが、贈与について深く考えさせてくれる本

どの本も難しいので、拙著『贈与論――資本主義を突き抜けるための哲学』を事前に読んでいてもらうと理解がすすむと思う。

クロード・レヴィ＝ストロース『親族の基本構造』福井和美訳、青弓社、二〇〇〇年

モースの『贈与論』を継承しながら、未開部族の親族関係における婚姻の規則を研究した

かってきたのである。

そうであるなら、気持ちを切り替えて、エージレスでいったほうが、より多くの人たちに読んでもらえるのではないか、と考えた。もともと服装でも思想でも、世代や年齢でわけて各世代を代表するステレオタイプを作る作業を、ぼくは好まない。人間の多様なあり方を抑圧するからである。だから、贈与や社会について関心のある方なら、誰が読んでも贈与についての基本的なことがわかり、それについてのぼくの見解も理解してもらえるように書いたつもりである。

こういった事情を考慮して、タイトルは『贈与をめぐる冒険——新しい社会をつくるには』に変わった。

資本主義全盛の今日、贈与について語ること、しかも資本主義を「変質」させる可能性があるものとして語ることそれ自体が冒険である、と考えたのだ。

利益を求める社会において、たぶん贈与は旧来の慣習といったかたちで社会において副次的な役割を担うもの、あるいは企業のメセナや寄付のような資本主義を補完する役目を果たすものと考える向きも多い。贈与を通して資本主義を変えていくことなど夢物語と感じる人も多いだろう。

だから、冒険なのである。そして、この冒険こそが今日ぼくらに求められているのではな

いだろうか。

本書では、贈与がいかにぼくらの生活に根ざしており、資本主義、共同性、自然と密接な関係にあるかを説明した。読者の方々がいろいろと考えていくきっかけになってくれれば、うれしい限りである。

とはいえ、本書に盛り込めなかった内容もいくつかある。臓器移植のテーマとケアのテーマである。両方とも贈与と密接に関係するテーマである。臓器移植については、『明治大学教養論集』五五二号に「贈与の視点から見た臓器移植とカニバリズム」という論文を発表した。ケアについても二〇二四年に刊行予定の論集『暴力の表象空間』（共著、法政大学出版局）に「ケアにおける贈与と暴力（仮題）」を寄稿することになっている。入門的なものではないし、まだまだ不十分な点も多いが、関心のある方はお読みいただければ幸いである。

冒険は今後も続けたい。エピローグの最後でも少しふれたが、今回はモースの『贈与論』を起点にしているが、モースの記述している「未開社会」を歴史的にさかのぼり、農耕以前の「狩猟・採集」の時代から贈与について考えてみたい。ここまでさかのぼったうえで、現代社会の贈与を検討する作業がまだ残っているが、これについてはまたいずれ語る機会があると思う。

本書を執筆するにあたって、ヘウレーカの森本直樹氏には大変お世話になった。原稿を丁寧に読んでもらい、ベテラン編集者ならではの貴重なアドバイスを数多くいただいた。どこまでそのアドバイスを活かしきれたかわからないが、全体的にバランスのいい読みやすい書物に仕上がったと思う。心からお礼を申し上げたい。

岩野卓司

二〇二三年二月

著者紹介

岩野卓司（いわの・たくじ）

東京大学大学院人文科学研究科博士課程単位取得退学。パリ＝ソルボンヌ大学大学院博士課程修了。博士（哲学）。現在、明治大学教授（教養デザイン研究科・法学部）。主な著書に、『ジョルジュ・バタイユ――神秘経験をめぐる思想の限界と新たな可能性』（水声社）、『贈与の哲学――ジャン＝リュック・マリオンの思想』（明治大学出版会）、『贈与論――資本主義を突き抜けるための哲学』（青土社）、主な訳書に、ジャック・デリダ『そのたびごとにただ一つ、世界の終焉　Ⅰ・Ⅱ』（共訳、岩波書店）、『バタイユ書簡集　一九一七―一九六二年』（共訳、水声社）などがある。

贈与をめぐる冒険

新しい社会をつくるには

2023年5月18日　初版第1刷発行
2023年8月8日　初版第2刷発行

著　者　岩野卓司

発行者　大野祐子／森本直樹

発行所　合同会社 ヘウレーカ
http://heureka-books.com
〒180-0002　東京都武蔵野市吉祥寺東町 2-43-11
TEL : 0422-77-4368
FAX : 0422-77-4368

装丁　末吉　亮（図工ファイブ）

印刷・製本　精文堂印刷株式会社

ISBN 978-4-909753-16-8　C 0036